JN238421

真昼なのに昏《くら》い部屋

江國香織

No te escaparas

講談社

真昼なのに昏《くら》い部屋

装幀　名久井直子

装画　布川愛子

カバー版画　フランシスコ・ゴヤ
『気まぐれ』No.72　お前は逃げられまい
（一七九六〜一七九八年）
神奈川県立近代美術館

1

葉もれ日が、アスファルトの上でちらちら踊る初夏の午後です。薫風《くんぷう》、という言葉がジョーンズさんの頭に浮かびました。日本語には、ほんとうに美しい言葉がたくさんある。ジョーンズさんは思いました。手に提げた袋が、歩調に合わせてしゃらしゃらと鳴ります。袋のなかには、突いてもらったばかりのところてんが入っています。

母親らしい女性の押す乳母車とすれちがい、ジョーンズさんは目を細めました。赤ん坊が好きなわけではなくて、赤ん坊がきちんとケアされているのを見るのが好きなのです。乳母車には青と白の縞の幌がついていて、はちはち肥った赤ん坊の他に、小さな羊のぬいぐるみが乗っていました。

ジョーンズさんのアパートは、くねくねした細い道——かつて川だったのです——の一画に建っています。アパートといっても二階建ての木造家屋で、一階には大家さんの一家が住んでいますから、貸部屋は二つしかありません。その片方——向って左側、鉄製の、塗装のほとんど剝《は》がれかけた階段をあがったところからいうと奥の方——が、ジョーンズさんの住居です。ジョーンズさんはドアに鍵をかけません。どうせ盗られるものもなし。そう思っているからです。それで、しょっちゅう友達が来て勝手にあがりこむのですが、きょうはナタリーがいました。

「おや、来てたの?」

ジョーンズさんは日本語で言い、ゴムぞうりを脱いであがると、

「目が悪くなるよ」

と、今度は英語で言いました。ジョーンズさんの部屋は日あたりが悪いのに、ナタリーが畳のまんなかに胡坐《あぐら》をかいて、本を読んでいたからです。

「平気」

彼女は英語で短くこたえ——ナタリーはイタリア人ですが、流暢《りゅうちょう》な英語を話します。日本語はあまり得手ではなく、ジョーンズさんと話すときには、彼にやんわり咎められても、英語一辺倒でした——本から目を上げません。ジョーンズさんは台所に行き、ところてんを袋からだすと、ざるにあけて水にさらしました。日あたりの悪い部屋に住んでいるジョーンズさんですが、まさにその日あたりの悪さこそが、この部屋についてジョーンズさんの気に

入っている点でした。部屋のなかが暗いぶん、居間と台所にそれぞれ一つずつある窓の外が、際立ってあかるく、瑞々しく見えるからですし、『陰翳礼讃《いんえいらいさん》』が愛読書の一つだからでもあります。

「何を読んでるの?」

いまも、畳をきしませて居間に戻ったジョーンズさんの目に、坐っているナタリーのシルエットは窓を背に、はっとするほど静謐《せいひつ》でドラマティックに見えました。

「仏像みたいにきれいだ」

ジョーンズさんが言ったのと、ナタリーが、

「つまらない小説よ」

とこたえたのと、ほぼ同時でした。

「仏像?」

ナタリーは笑って、本を閉じて立ち上がり、ジョーンズさんの頬に軽くキスをしました。

「そんなこと言われたの、はじめてだわ」

すかさず、ジョーンズさんはナタリーのお尻をつかみました。もちろんそっとです。スウェットパンツに包まれた、この人のすこし大きめのお尻は、ほんとうにつかみ心地がいいのです。

「きみはとてもきれいだよ」

ジョーンズさんは言い、彼女のお尻を今度はぽんぽんと叩いてから、解放してあげました。

ナタリーは、いわゆる美女ではありません。ジョーンズさんの考えでは顔の造作が大味すぎますし、何よりも本人に、外見に気を遣うつもりが全くないようでした。Tシャツの衿はたいていのびていますし、濡れると黒っぽく見える濃い目の金髪は、ゴムで安直にしばられています。それでも、女性性に満ちた大柄な身体と、化粧けのない清潔な素肌、人の好さそうなまるい目鼻は魅力的でした。ナタリーは陶芸家ですが、この国に住む外国人の多くがそうであるように、母国語を教えて生計を立てています。

「岡田さんの具合はどう?」

麦茶をのみ、ところてんをたべながら、ジョーンズさんは訊きました。

「よくないわ。すごく痩せちゃって」

ナタリーも麦茶をのみ、ところてんをたべていますが、ほんとうはところてんが、あまり好きではありませんでした。酢醤油の味しかしない、と思うからです。

「気の毒に」

ジョーンズさんは言いました。岡田さんというのはナタリーの親しくしている日本人の一家で、御主人が病気で入院しているのでした。息子さんが陶芸家で、ナタリーは彼の工房の片隅を借りて、自分の作品を創っています。工房は上野にあり、ナタリーはそこまで日々自転車で通っています。

「辛子は？」

ジョーンズさんが訊き、ナタリーは首を横に振って返事の代りにしました。

二人は恋人同士というわけではありませんでした。一度、一枚の布団にくるまったこともありますが、それは、試しにそうしてみただけのことでした。故郷で一度結婚し、離婚したナタリーは天下晴れて独身ですし、ジョーンズさんの妻はアメリカにいて、日本在住のジョーンズさんとはもう十五年も別居状態でしたから、そうしてみても悪いことはなかろうと、どちらもが思ったのでした。二度目が起こっていないのは、合性が悪かったからではありません。それどころか、どちらも深い満足を得、互いにそれを正直に言い合いもしました。ですからジョーンズさんの方は、またおなじことが起きてもちっとも構わないと考えていました。二度目が起きていないのは、そうならないよう、ナタリーが気をつけているからです（この点で、ジョーンズさんは完璧な紳士でした。女性からの意思表示が見えない限りそういう行動にはでませんでしたし、多少気持ちが高まっても、相手にその素振りがなければ自制することができました）。ナタリーは自分を理性的な人間だと考えています。それで、慣れない異国暮しの淋しさを、親切な先輩外国人ともいうべき年上の男性と寝ることで紛らわすようないいかげんな真似は、理性的な人間のするべきことではないと判断したのでした。まあ、一度試したあとでですが。

それに、ジョーンズさんに好きな女性がいることも、ナタリーは知っていました。本人から聞いたわけではないので、「知っている」ではなく「気づいている」というべきかもしれないのですが、ジョーンズさんがその女性にイカレていることは、ともかくそのくらい明々白々で、友人たちのあいだでは、周知の事実とされているのでした。もっとも、ただ一人気づいていないらしいのが当の女性――澤井美弥子《さわいみやこ》という名前です――で、ナタリーの考えでは、それは余程の鈍感か、気づいているのにいないふりをするような、いやな、小ずるい女のどちらかなのでした。

まあ、大人なんだから、

ところてんを食べ終わり、再び本を手にとって、ナタリーは思いました。今度は胡坐をかくのではなくて、のびのびと腹這いになります。この部屋には家具と呼べるものがほとんどなく、寛ぐにはそうするよりないのでした。

まあ、大人なんだから、私が心配するようなことではないけどね。

器を二つとお箸を二膳、洗ってカゴに伏せたジョーンズさんは、居間に戻るとながながと寝そべったナタリーにはほとんど注意を払わずに、この部屋の唯一の家具である小さな文机の前の、籐の坐椅子に腰をおろしました。電気スタンドをつけ、そばの鞄からとりだした学生たちのレポート――ジョーンズさんは、幾つもの大学で教鞭をとっています――を読み始めました。それがジョーンズさんのやり方でした。訪ねてくる知り合いは、いつでも誰でも歓迎する、けれどすべきことは、来客の有無にかかわらずさせてもらう、というのが。
静かな午後です。うす暗い部屋にはジョーンズさんがレポート用紙をめくる乾いた音と、「つまらない小説」に飽きたらしいナタリーの、寝息が聞こえるばかりです。

美弥子さんは、坂の上の一軒家に住んでいます。この家にもふいの来客はときどきあるのですが、美弥子さんのやり方はジョーンズさんのやり方と、また別でした。というのも、この家にやってくる人たち——たいていは近所の奥さんたちですが、義理の妹が子供を連れてやってきたり、実の母親が犬を連れてやってきたりもしますし、まったく思いがけないタイミングで、ジョーンズさんが顔を見せたりもします——というのは、みんな多かれ少なかれお喋りが目的だからです。お喋りをしにやってきた人の相手もせずに、「するべきこと」を勝手にするわけにはいきません。美弥子さんは柔軟に、その日の予定を変更します。けれどこの世のすべての奥さんたち同様に忙しい身ですから、ただ漫然と坐って話を聞いているわけにもいきません。そこでバスケットの出番となるのです。このバスケットは、美弥子さんがふいの来客に備えて用意してある大きな手提げ籠で、あけびの蔓《つる》で編まれています。そこには布や針や糸や毛糸、編み棒やハサミ、古くなったタオルなどが季節や状況に応じて雑多に詰め込まれていて、美弥子さんが誰かの話に辛抱強く耳を傾け、相槌《あいづち》を打ったり笑い声をはさんだりするあいだ、すくなくとも「何か」できるようになっているのでした。大事なのはそこでした。美弥子さんは、自分がきちんとしていると思えることが好きでした。たとえ一瞬でも、お友達とお喋りばかりしている怠けものの奥さんに、見えるようなふるまいはしたくないのです。でも、一体誰の目にでしょう? なにしろそこにいるのは美弥子さん本人と、お喋りをしに来たお友達その人だけなのです。美弥子さんの考えでは、その「目」は神さま、もしくは仏さま、もしくは御先祖さま、もしくは夫の浩さんのものでした。生身の人間である浩さんを、神さまや仏さまや御先祖さまといっしょくたにして考えるのはおかしい、と、美弥子さんは自分でも思うのですが、でもどうしても、そういう感じがするのでした。

それはともかく、ジョーンズさんとナタリーがところてんをたべたこの初夏の午後、美弥子さんの家には来客はありませんでしたから、美弥子さんは思うさま掃除に精をだすことができました。実際、美弥子さんは骨惜しみせず働く人で、暇さえあれば掃除をしているのですが、ではこの家が塵《ちり》ひとつない状態であるかといえば無論そんなことはなくて、塵も埃《ほこり》も砂埃も、いつもどこかにはありました。広い家なのです。

家は数年前に浩さんが建てたものですが、土地はそれより十年も前に、浩さんの両親が浩さんのために、買って持っていたものです。そのことを知ったとき、美弥子さんは心底驚き、感心しました。なんて準備のいい人たちだろう、と思ったのです。美弥子さん自身の両親は、そういう種類の準備をする人たちではありません。「あしたはあしたの風が吹く」を信条としていましたし、家族でお酒をのみに行くと、お母さんが歌うのは決まって「ケ・セラ・セラ」でした（歌うといっても勿論カラオケ・ボックスではありません。美弥子さんが子供の時分には、そんなものはありませんでしたから、彼らがでかけたのは水曜と土曜にだけ生演奏の入る近所のバーでした。そして、お酒をのみに行くとはいっても、まだ子供の美弥子さんがのませてもらえたのは、サイダーかレモンスカッシュでした）。

掃除のあとは、夥《おびただ》しい数の鉢植えの水やりです。この家は広くて快適なのですが、一つだけ困った点があり、それは庭がないことでした。敷地いっぱいにコンクリートの建物が建っており、さらに悪いことに、人の背より高い塀に、二面がすっかり囲まれています（これは、でも仕方のないことでした。美弥子さんの家は斜面に建っていて、地面から見ると二階かと思うような位置に、玄関があるのです）。美弥子さんは知らないことですが、この家ができた当初、近所の人たちは「軍艦じゃあるまいし」と囁き合っていました。まあ、揶揄《やゆ》です。そういう家の、一体どこに、木や花を植えればいいというのでしょうか。美弥子さんはあきらめませんでした。逆境に立つと力が湧いてくるタイプなのです。母方の実家がお花屋さんを営んでいたこともあり、美弥子さんは植物が大好きでした。高い塀の外側には――なぜ外側かといえば、植物はその家の人々の心を和ませるだけじゃなく、道行く人の目もたのしませなければならないものだと教わってきたからです――二面ともびっしりプランターを固定しました。家の裏手、隣家との垣根に面してわずかにある地面には、山椒や大葉や茗荷《みょうが》といった、食べられる植物を植えました。車が二台入ったガレージの前の空きスペースには、植木鉢がつねに十数鉢、隅にかためてならべてあります。毎日の水やりはたしかに手間ですが、だからこそ生活に秩序が生れます。秩序は保たなければなりません。

そういうわけで、美弥子さんは家の内と外とを何度も往復し、すべての植物に、如露《じょろ》でたっぷり水をやりました。夕方の日ざしはごく淡く、淡いのに空気の一粒一粒に、不思議な力強さで金色の輝きを与えています。途中で一度、いつもの痩せた白猫――顔とお腹に、うす茶色のブチのついたまだ子供らしい猫――がすり寄ってきたのであごをかいてやりました。この街はのら猫の多い街です。おなじブチでも三毛の、太った猫が一匹道の向うに寝そべっていますし、すこし前には敏捷《びんしょう》な二匹――一匹は黒猫で、もう一匹はきじとら――が、もつれ合うようにして駆け抜けて行きました。

美弥子さんは、カーディガンの前をかき合わせます。風がでてきて寒くなってしまったのです。うす水色の空を、雲の大きなかたまりが、かたまりのまま流れていきました。

浩さんが帰宅したとき、家のなかには煮魚の、甘い匂いが漂っていました。

「何の魚?」

浩さんが「ただいま」の代りに訊ねると、居間のソファで大好きな「刑事コロンボ」のDVDを観ていた美弥子さんは振りむいて、

「おかえりなさい。かじきよ」

と、言いました。

「それから豆ごはんを炊いたの」

とも。

「あしたおふくろの病院だろ」

浩さんは言い、リモコンでDVDのスイッチを切ると、普通のテレビに替えました。浩さんの発言は唐突でしたし、「刑事コロンボ」はまだ途中でしたが、美弥子さんは気にしません。いつものことだからですし、どっちみち台所に戻って料理の仕上げをしなくてはならないからです。

「そうよ。どうして?」

こたえたあと、負けずに最初の話題に戻し、

「お豆腐と茗荷の炒めものも作ったの。あとはオクラのおひたし。ひろちゃん好きでしょう? オクラ」

と、言ってみました。

「じゃあさ、ついでに買物頼まれてくれないかな、新宿まで行くんだったら」

美弥子さんは、浩さんのお母さんを月に一度、病院まで車で送迎しています。とくに病気というわけではないのですが、お母さんは血圧が高めなことを気にしていて、月に一度、主

治医の先生に診てもらうことに決めているのでした。

「構わないけど、何を買うの？」

浩さんは言葉の前半だけを聞いていたと見え、

「サンキュ。助かるよ」

と言って、着替えをしに二階にあがっていきました。美弥子さんはつくづく感心します。一体どうすれば言葉を半分だけ聞きとるなどという芸当ができるのでしょうか。おまけにどたんばたんと、あんなに大きな足音をたてて階段を駆け上がって。

うちには子供がいないから、
美弥子さんは思います。

うちには子供がいないから、ひろちゃんが子供の代りをしてくれているのかもしれない。

たしかに浩さんは、年齢よりずっと若く見えました。小柄で引き締まった体型のせいもありますし、テニスやゴルフやスキーが好きで、年中日灼けしているせいもありますが、それ以上に動作や発言の性急さが、彼にある種の活気というか、未熟な魅力を与えているようなのでした。

浩さんの職業は会社の社長です。ひいおじいさんから続く四代目でした。創業百年を越えるゴムの会社で、昔は日本中の子供たちが、その会社のまりをついて遊んだといいます。戦前は上海でも操業していたといいますから、ほんとうに立派な会社なのです。美弥子さんは、自分が昔遊んだまりも、その会社のものだったに違いないと考えることが好きでした。未来の夫の会社だとも知らず、そのまりで「あんたがたどこさ」をしていたと考えることが。とはいえ、いまは自動車部品や工業製品を製造しているというその会社で、浩さんが日々どんな仕事をしているのか、美弥子さんには皆目見当がつきません。

着替えてテーブルについた浩さんは、

「お、オクラだ」

と、嬉しそうに言いました。

「豆腐もあるじゃん。腹へったー」

袖と身ごろの色のちがうTシャツに、カーゴパンツという恰好でした。浩さんをお洒落だと、美弥子さんは思います。ジーンズの銘柄にとても詳しくうるさいですし、キャップのコレクションも相当なものです。

美弥子さんは向いの椅子に腰掛けて、にっこり笑うと二つのグラスにビールを注ぎました。

「それで、私はあした何を買ってくればいいの?」

注ぎ終わったとき、けれど浩さんはすでにテレビに気をとられ、すっかり横向きになっていました。

そのころジョーンズさんは、近所のお鮨屋さんのカウンター席に、一人で坐っていました。ナタリーが帰ったあと、レポートの採点をすべて終え、銭湯に寄ってからここに来たのでした（ですから肌はピンク色で、つやつやしています）。アパートにもお風呂はあるのですが、おそろしく狭い上にガス器具も旧式なので、ジョーンズさんは銭湯の方が好きでした。

この店にとっては遅い時間で、他にお客さんの姿はありません。店の主人とは顔馴染《かおなじみ》でしたから、ジョーンズさんは気兼ねなく、自分のやり方でお鮨をたのしむことができました。彼の好む注文のし方は、最初に常温の日本酒を一合とかっぱ巻きを一本、次に握りを幾つか食べて、最後に白身か蛸《たこ》のお刺身をつまむ、というものです。

いま、ジョーンズさんは握りのところまできています。好物の蝦蛄《しゃこ》——甘い煮詰が好きなのです——を口に入れ、満足そうに目を細めます。置いてあるおしぼりで、そっと指先をぬぐいました。

「そろそろ切るかい？」

店の主人が言いました。お刺身にしますかという意味です。

「ええ、おねがいします」

ジョーンズさんはこたえます。

「いっしょに、野生の七面鳥もください」

郵便はがき

料金受取人払郵便

小石川支店承認

1003

差出有効期間
平成24年2月
28日まで

112-8731

〈受取人〉
東京都文京区
音羽二—一二—二一
㈱講談社
文芸図書第2出版部 行

お名前

ご住所 〒

電話番号

メールアドレス

記入日付　　年　月　日

今後、講談社からお知らせやアンケートのお願いをお送りしてもよろしいでしょうか。ご承諾いただける方は、下の□の中に✓をご記入ください。

□ 講談社からの案内を受け取ることを承諾します

TY 000030-1001

■ご購読ありがとうございます。今後の出版企画の参考にさせていただくため、アンケートへのご協力のほど、よろしくお願いいたします。

書名

Q1. この本が刊行されたことをなにで知りましたか。

1. 書店で本をみて　　2. 書店店頭の宣伝物
3. 本にはさまれた新刊案内チラシ　　4. 人に聞いた(口コミ)
5. ネット書店(具体的に：　　)
6. ネット書店以外のホームページ(具体的に：　　)
7. メールマガジン(具体的に：　　)
8. 新聞や雑誌の書評や記事(具体的に：　　)
9. 新聞広告(具体的に：　　)
10. 電車の中吊り、駅貼り広告
11. テレビで観た(具体的に：　　)
12. ラジオで聴いた(具体的に：　　)
13. その他(　　)

Q2. どこで購入されましたか。

1. 書店(具体的に：　　)
2. ネット書店(具体的に：　　)

Q3. 購入された動機を教えてください。

1. 好きな著者だった　2. 気になるタイトルだった　3. 好きな装丁だった　4. 気になるテーマだった　5. 売れてそうだった・話題になっていた　6. 内容を読んだら面白そうだった　7. その他(　　)

■この本のご感想、著者へのメッセージなどをご自由にお書きください。

ご職業　　性別　　年齢
男・女　　10代・20代・30代・40代・50代・60代・70代～

勿論、本物の七面鳥ではありません。ウイスキーの名前のことで、ジョーンズさんはこの言い方を、気がきいていると感じています。

「了解」

主人も、おどけた口調で応じました。いつものことなのです。

「お父さんも一杯いかがですか」

すすめられ、笑みの形に口をぽっかりあけました（それはこの人の癖です。笑うとき声は立てず、ただ口だけが笑いを形づくるというのが）。

「じゃ、遠慮なく」

JONES

棚にぽつんと一本だけ置かれたそのウイスキーのボトルには、整った横文字でそうサインしてあります。

ジョーンズさんはアメリカ人です。お姉さん二人に続いて生れた末っ子で、当時を知っている人々の印象では、かなり弱々しい子供だったそうです。ボストン生れですが、土木技師をしていたお父さんの仕事の都合で、様々な国で暮しました。メキシコ、クウェート、フィリピン、インドネシア、タイなどです。ボストンで大学に入学し、まず経済学を、次に哲学を学びました。ジョーンズさんが最初の結婚をしたのはそのころです。奥さんだった女性はよく笑う、いま思いだしても魅力的な人でした。小学校の先生をしながら地元の劇団で女優もしており、パントマイムが得意でした。けれどこの結婚はながく続かず、諍《いさか》いに疲れたジョーンズさんは故郷を離れ、ニューヨークに移り住みます。時代遅れの自由人生活《ヒッピー》。そのころの暮しぶりを、ジョーンズさんは好んで自分でそう呼びます。ほんとうにいろいろな仕事をしました。図書館員、動物園の清掃係、ウェイター、出版社の雑用係。仕事をし、お金が貯まると仕事を辞めて、バックパック一つ背負って一か月も二か月も旅にでる、そんな生活でした。行き先はたいてい東南アジアの国々で、色彩が鮮やかに潤み、酸素も植物の生気も濃く、人々の表情の素朴なそういった国々は、なぜか昔からジョーンズさんの心を惹きつけてやまないのです（日本をはじめて旅したのも、この時代のことでした。日本は東南アジアではありませんが、そのころのジョーンズさんにとっては、おなじようなものでした）。

そんな自由人生活に彼が別れを告げたのは、一九八七年、彼が三十四歳のときでした。ある美しい女性と出会い、一緒に家庭を築くことに決めたのです。それがいまの奥さんのリンダでした。リンダはテキサスのお金持ちの令嬢で、ニューヨークに遊びに来ていてジョーンズさんに出会ったのです。半年後には、ジョーンズさんはテキサスに住んでいました。盛大な挙式をし、リンダのお父さんの所有する新聞社で働いていました。リンダにはお兄さんがいましたから、跡を継ぐ必要こそありませんでしたが、ジョーンズさんにははじめから肩書きが与えられ、ゆくゆくは経営陣の一翼を担うよう、期待されていたのでした。随分前に、さしたる理由もなく経済学の学位を取得していたことが、役に立ったといえばいえるかもしれません。たて続けに子供が生れました。息子の名前はスティーブで、娘の名前はエレインです。けれどここでの生活は、全くジョーンズさんの性に合いませんでした。リンダの一族との相性が悪かったこともありますが、何よりもテキサスという土地に、ジョーンズさんは馴染めませんでした。それどころか、憎みさえしました。ジョーンズさんの意見では、そこは筋肉主義者《マチスト》たちの土地なのです。

他所の土地に住もうと、彼はたびたびリンダに訴えました。自分の幸福もさることながら、子供たちがこういう土地で育つことを思うと我慢ならなかったのです。リンダは耳を貸そうとしませんでした。離婚についてもおなじことでした。ジョーンズさんがいくら言葉を尽しても、彼女は頑として、籍は抜かないと言い張るのです。ジョーンズさんは家をでました。なつかしい東南アジアを転々としたのちに、主に「住みやすい」という理由で日本に落着いて、十五年が経ちました。家族には、年に一度、夏の休みか冬の休みに帰国した折に会うことにしています（けれど場所は、決してテキサスではありません）。

これが、まあ大雑把ではありますが、ジョーンズさんの個人史です。いま、日暮里の商店街の一角の、お鮨屋さんの隅でウイスキーを舐めながら、ジョーンズさんにはそういうすべての事柄が、誰かべつな人の身に起ったことのように思えます。かつて確かに知っていた、でもいまではほとんど思いだせないほど遠い誰かの人生のように。

「竹の子、あるんだけど食べる?」

ウイスキーのお礼のつもりなのでしょう、店の主人が言いました。

「いいですねえ。いただきます、竹の子」

ここでは、ジョーンズさんはただのジョーンズさんです。日本贔屓《びいき》の、背の高い、一風変った外国人に過ぎません。

お会計を済ませておもてにでると、周辺の店はどこもシャッターがおりていました。街灯が、アスファルトに白い光を投げかけています。あしたは講義が午後からなので、午前中に美弥子さんを訪ねてみよう。ジョーンズさんはそう思いました。勿論、あしたの午前中、美弥子さんは留守です。朝いちばんに、愛車ボルボを駆って浩さんのお母さんを病院に連れて行く予定ですし、そのあと浩さんに頼まれた買物も——それが何であれ——するはずです。ジョーンズさんには知る由もないことでした。ポロシャツにバミューダパンツ、あらわになった細い脛《すね》の先にゴムぞうり、という恰好のジョーンズさんは、あした美弥子さんに会いに行く、と決めたことでただ気分よく、夜道を自分のアパートへ、帰ったのでした。

2

美弥子さんがジョーンズさんと、はじめて親しく会話をしたのは去年の秋のことでした。御近所ですからそれまでも顔は見知っていましたし、道で会えば互いに笑顔で会釈して、こんにちはとか、特売ですねとか、一言二言挨拶はしていました（この街は、猫も多いですが外国の人も多い街です。美弥子さんが近所でいちばん親しくしている利恵子さんという奥さんの、御主人はデレクという名のアメリカ人ですし、いつもコーヒーを買いにいく喫茶店には、ミシェルという名の黒人男性が働いています。真昼の商店街では、東欧人と思われる奥さんたちが、なぜだかつねに二、三人で連れだって、買物をしている姿が見られます）。

「ジョーンズです」

ジョーンズさんはそのとき美弥子さんの目をまっすぐ見つめ、握手をしながら言いました。場所はデレクの語学学校の裏庭で、まわりには子供たちがたくさんいて賑やかでした。空は晴れ渡っていて高く、色とりどりの風船が、椅子の背やら道ぞいの柵やらに、結びつけられていました。それはハロウィンのパーティで、美弥子さんは利恵子さんに頼まれて、手伝いに馳参じたのでした。大量のアイスティを作り、ポットに何杯ものコーヒーを用意しました。デレクの学校には、大人の生徒のためのイタリア語やフランス語、スペイン語のクラスもありましたから、そこにはそれらの言葉を話す講師たちもいて、大変国際色豊かでした。

美弥子さんが興味を持ったのは、ジョーンズさんの際立った礼儀正しさと、どこかその場にそぐわない、おずおずとした物腰でした。他の人たちがみんな気さくに、「デイビッド」とか、「はじめまして。ナタリーよ」とか、英語もしくはたどたどしい日本語で自己紹介するなかで、ジョーンズさんだけが苗字を（しかもやわらかな日本語で）名乗ったせいもありますし、そのとき視線を合せつつ、お辞儀をしたせいでもありました。子供たちに対しても、他の人たちのように親しげに頭に片手をのせたり、わざとぞんざいな口調で物を言ったりはせず、ごくまっとうな英語で丁寧に——そこにいたのは小学生までの子供たちでしたから、彼の発言のほとんどは理解されないにもかかわらず——、ゆっくり話しかけているのでした。この男性がいわば「ゲスト」であり、美弥子さん同様この学校にとっての「よその」であることは、子供たちの態度からすぐにわかりました。美弥子さんとジョーンズさんは、なんとなく二人で壁際に立ち、なんとなく二人で、ながいこと話しこみました。

でも、一体何を話したというのでしょうか。美弥子さんには、そこのところがどうもよく思いだせません。ジョーンズさんが、美弥子さんが前日に焼いたクッキーをつまんで、「とてもおいしい」と言ったことは憶えています。「これは内緒ですけれど」と前置きをして、「僕がきょうここに来たのは、デレクから、あなたが来ると聞いたからなんですよ」と、言ってひっそり微笑んだことも。夕方の始まり——もうそんな時間になっていたのです——の空に、とけてしまいそうな微笑みでした。

ジョーンズさんは、パーティが終る前に一人で帰っていきました。仕事があったのです（ジョーンズさんが大学の先生で、夜学でも教えていることを、美弥子さんはこのときはじめて知りました)。横顔のきれいな、インテリジェンスのあるアメリカ人。ジョーンズさんに対して美弥子さんが抱いた、印象はそういうものでした。

ジョーンズさんの趣味がフィールドワークだと知ったのは、もうすこしあとのことです。八百屋さんの店先でばったり会って、一緒に歩いて帰るあいだにそういう話になったのか、それよりもさらにあと、ジョーンズさんがふらりと遊びにやってきて、一緒にお茶をのんでいるときに聞いたのだったかさだかではないのですが、ともかくそれが、彼の言ったことでした。自分の趣味はフィールドワークである、というのが。

「フィールドワーク?」

美弥子さんは訊き返しました。それが何のことなのか、さっぱりわからなかったからです。

「ええ、そう、フィールドワーク。どこでもできます。楽しいですよ」

ジョーンズさんはこたえました。フィールドワークという言葉を、あとで辞書で引いてみよう。女子大の英文科出身である美弥子さんはそう思ったのでしたが、それきり忘れていました。けれどあとになって何度か、お天気がいいから——あるいは鶯の声がするから——フィールドワークに行きませんか、とジョーンズさんに誘われて、どうやらそれは散歩のようなものらしい、と、見当がつきました。実際には、いきなり誘われてもちょうどアイロンをかけようと思っているところだったり、絹さやのすじを取っているところだったりして行かれなかったのですが。

さて。いいお天気の、午前十時です。呼び鈴が鳴ったとき、美弥子さんは教えてほしいとお友達に頼まれた、料理のレシピを便箋に書いているところでした。

「おはよう。おじゃましても構いませんか？」

玄関に立ったジョーンズさんは言い、美弥子さんは、もちろんですとこたえました。

日あたりのいいリビングの、白い布張りのソファにジョーンズさんは腰掛けています。水色のワイシャツにグレイのずぼん――よくプレスされ、折り目がきちんとつけられています――という、大学用の服装でした。テーブルが低いので、美弥子さんは床に膝をついた姿勢で緑茶をいれます（ジョーンズさんが紅茶よりも日本茶を好むことを、美弥子さんはすでに知っています）。

「このあいだはごめんなさい。いらしていただいたのに留守だったでしょう？」

それは、ちょうど一週間前のことでした。美弥子さんがお義母さんと病院に行き、浩さんに頼まれていた買物――入荷待ちだった麻のジャケットでした。数量限定品である上、浩さんの気に入っているその店は、予約も取り置きも一切させてくれないのだそうです――を済ませてから昼懐石を食べ、お義母さんを送り届けて午後おそく帰宅してみると、ドアに大学芋の入ったビニール袋がぶらさげてありました。それで、美弥子さんにはジョーンズさんの来たことがわかったのでした。たしかに、都心と違ってこのあたりではいまも近所づきあいが存在していますし（主婦の仕事のなかで、それは唯一美弥子さんの苦手なことでした）、いただきもののお裾分とか、旅行土産のマカデミアナッツ入りチョコレートとかのやりとりはありますが、ジョーンズさん以外は誰も、留守宅のドアに食べものをひっかけっぱなしにするような、無造作というか無頓着なことはしません。

「大学芋、ありがとうございました」

ほんとうは、美弥子さんはそのお菓子があまり好きではありませんでした。さつま芋とかゆで玉子とか栗とか、もくもくした食べものは胸につかえるような気がするのです。それで、ドアにひっかかっていた袋の中身も浩さんにあげてしまったのですが、いまここで、そんなことは言うべきではないし言う必要もない、ということは、社交の苦手な美弥子さんにもわかりました。

「気にしないでください」

にっこりしてジョーンズさんはこたえ、窓からの日ざしに、まぶしそうに目を細めました。

「誰だって、在宅のときもあれば留守のときもあります」

「ええ、まあ、それはそうですけれど」

美弥子さんはバスケットをとってきて、向い側の椅子に腰をおろします。その美弥子さんを見て、ジョーンズさんはますますまぶしそうに目を細めましたが、バスケットの中身に気をとられていた美弥子さんは、それには気づきませんでした。

「でも、もしきょうもあなたが留守だったら」

ジョーンズさんは言いました。

「僕は大変がっかりしたと思いますね」

美弥子さんは首をかしげます。

「たいがいは、います」

そしてそう言いました。

「日本語で、奥さんのことを家内って言ったりするの、御存知でしょう?」

自分の唇のあいだから小さな笑い声がこぼれたことに、美弥子さんは自分でびっくりしました。そんなつもりはなかったのに、自嘲みたいに聞こえたからです。


日ざし。まるい茶托にのせられた、まるい茶碗のなかの緑色のお茶。ガラスの小皿にのったかりんとう。何もだしっぱなしにせずにすむように、壁面いっぱいに造りつけられた、白い扉の収納家具。観葉植物。李朝風のひきだし。その上に置かれた電話の子機と、小さなコップに挿した青い花、額入り写真が幾つか。ジョーンズさんの目に映っているのはそういうものでした。広々したリビングルーム。雑多な布のつめこまれたバスケット。赤い糸で布巾に刺し子している美弥子さんの、白い小さい手、白い小さい顔、黒くつやつやのおかっぱ頭。長袖のTシャツに裾を折り返したジーンズという普段着ながら、美弥子さんは小鳥のようにかわいい人だとジョーンズさんは思います。小鳥なのに縫いものをしたりお茶をいれたり、歩いたり笑ったりするのですから、見ているだけで胸がいっぱいになります。

「音楽、かけましょうか？」

小鳥が、いえ、美弥子さんが言いました。この前ここに来たときに、アパートにはステレオがないので音楽が聴けない、と話したことを、憶えていてくれたのでしょう（そのときは、たくさんあるCDのなかからジャズを選んでかけてくれました。ジョーンズさんには馴染のない名前の演奏家でしたけれど、美弥子さんは、とても有名なピアニストだと言いました。「ジャズがお好きなんですか？」尋ねると、でも困ったように微笑んで、「いいえ。いまのはうけうり。ここにあるCDはほとんどひろちゃんのなんです」と言ったのでした。ひろちゃんというのが美弥子さんの夫の名前だということは、尋ねなくてもわかりました）。

「それにはおよびません」

ジョーンズさんは質問にこたえました。美弥子さんの声だけで、十分だったのです。

「ところで」

ジョーンズさんは、思いだしたように言いました。

「布団叩きはどこに売っていますか？」

「布団叩き?」

訊き返され、ジョーンズさんは説明します。ずっと欲しいと思っていたこと、そうしたらすこし前に、それを使っている女性を近所で見たこと、ベランダに干した布団を、その道具で、彼女は一心に叩いていたこと、きょうとおなじようによく晴れた午後で、その姿がとても崇高に見えたことも話しました。ばたんぼすん、ばたんぼすんと、力強く空にすいこまれていった音のことも。

「まあ」

美弥子さんの声には感嘆の響きがこめられていましたから、ジョーンズさんには、この人がちゃんとその光景を想像し、いまここで、いわば心の目でそれを見てくれたことがわかりました。

「学生に訊いたら、布団叩きというのだと教えてくれました。そのまんまの名前ですね。でも学生たちはみんな、どこに売っているかは知らないと言っていて」

「まあ」

美弥子さんはまた言いましたが、今度のそれは、感嘆ではなく思案のしるしのようでした。

「家具屋さんかしら」

自信なさげに言いました。

「それとも布団屋さん?」

疑問形でつぶやいたので、美弥子さんにもわからないのだとわかりました。

「母に訊いてみますね」

美弥子さんはきっぱりと言い、縫い物を置いて立ちあがると、ジョーンズさんの目の前で、電話を手にとりました。

「ママ? 美弥子よ」

たぶん仲のいい母子なのだろうとジョーンズさんは思いました。無論相手の声は聞こえませんが、美弥子さんの口調や相槌のタイミングから、よく電話をかけあっている、それでもつねに話すことはある、という感じが伝わってきます。

「金物屋? 金属じゃないのに?」

美弥子さんは訝《いぶか》しげです。そのあと随分相槌が続きましたから、美弥子さんのお母さんという人は、すくなくとも無口ではない人なのでしょう。

「うん。……うん。……うん、わかった。ありがとう。……うん。……うん。いまお客さまなの。もう切らなきゃ。……うん。でもママ聞いて、またあとでかけるから」

ジョーンズさんは、なにか温かな水がひたひたと胸にみちるのを感じ、微笑まずにはいられませんでした。

電話を切ると、美弥子さんは元の椅子に坐り、

「金物屋さんですって」

と、言いました。

「でもスーパーにも売ってるんじゃないかって」

ジョーンズさんが楽しそうな表情で自分を見ていることに気づき、美弥子さんは恥入りました。身内との会話をよその人に聞かれるというのは、いつでもすこし決まりの悪いものです。

「ありがとう」

ジョーンズさんは言いました。

「次に電話をするときは、お母さんに、僕からのお礼もお伝えください。これで布団叩きが買える」

ジョーンズさんが嬉しそうでしたので、美弥子さんも嬉しくなりました。

「よかった」

そう言って、満足して縫い物に戻ります。美弥子さん自身は、布団叩きを使っていません。ベッドは布団乾燥機で殺菌しているからですし、たまにクッションを干すときは、手で叩けばいいからです。でも実家には、そういえばたしかにそれがあったわ。思いだし、美弥子さんは笑みをこぼしました。実際、それがあったというよりも、あの家にはありとあらゆ

るものがあったのだ、と思ったからです。役に立つものも、立たないものも。

「ごたごたしてるの」

ついロにだし、

「あ、ごめんなさい、実家のことですけれど」

と補足しました。

「小さい家なのに物が多くて、いくら片づけても片づかなくて、いつもごたごた」

「ごたごた」

ジョーンズさんはくり返し、すこし考えてから、

「いいですね。僕は好きですよ、ごたごたした家というのは。親密な感じがする」

と、言いました。

「親密」

今度は美弥子さんがくり返します。そんなふうに考えたことはなかった、と思ったからです。そんなふうに考えたことはなかったけれど、たしかにあの家は親密な感じがする、と。

ふいに、ジョーンズさんが小さな笑い声を立てました。ふふふ、とか、くくく、とか聞こえる笑い声です。

「でも、もめごとのことも言いますね、ごたごたって」

美弥子さんが理解するまでに、一拍、まができました。ふふふ、と、ジョーンズさんと二

重奏で低く笑い、この部屋は、ジョーンズさんがいるといつもよりも風通しがよくなる、と、美弥子さんは思いました。

3

美弥子さんがはじめてフィールドワークにでかけたのは、それからすぐのことでした（実は、この日の夕方です）。午前中にやってきたジョーンズさんは、帰りがけに勇気をだして、あとで誘いに来てみても構わないだろうか、と訊いたのでした。きょうは授業が一コマだけで、だからフィールドワークをするつもりであり、よかったら一緒にどうだろうか、と。

「それ、どのくらい時間がかかります？」

美弥子さんは訊きました。きょうは、食料を買いにいく必要があるのです。ひき肉とトマト、ピーマンと玉ねぎと生姜（にんにくは常備してあります）。キーマカレーを作るつもりでした。煮込む時間はたいしてかかりませんけれど、いったん冷まして味をなじませる必要がありますから、そのぶんの時間も計算に入れなくてはなりません。

「どのくらいでも」

ジョーンズさんは両手をひろげ、ちょっと首をかしげて言いました。

「美弥子さんの御都合にあわせます。三十分でも、一時間でも」

有能な主婦ならば誰でもそうするように、美弥子さんはすばやく考えをめぐらせ、カレーを冷ますだけの時間を、それに充てようと決めたのでした。

ですからジョーンズさんがやってきたとき、家のなかはカレーの匂いでいっぱいでした。煮込んだひき肉と野菜、クミンやカルダモン、パプリカといったスパイスの混ざりあった複雑な匂いで。勿論、植物の水やりもすませてありました。

蒸し暑い一日でしたが、風が空気の温度をさげて、気持ちのいい夕方です。


おもてにこうしてならんで立つと、ジョーンズさんの背の高さや手足の長さ、骨格のがっしりしていることに、美弥子さんは改めて感じ入りました。二人とも朝とおなじ服装でしたが、ジョーンズさんのシャツもずぼんも、朝ほどぱりっとはしていませんでした。袖口は折り返してあります。美弥子さんは、ジョーンズさんが近所を散策するとき、ゴムぞうりとそれにつり合う服装を好むことを知っていましたから、きょう、仕事から戻った彼が、着替える間も惜しんで迎えに来てくれたのだということがわかりました。

「いま四時四十分です」

腕時計を見て、ジョーンズさんは言いました。

「どのくらい時間がありますか?」

ななめになった日ざしをまぶしいと思いながら、美弥子さんはジョーンズさんの顔を見上げます。どうこたえるべきなのか、すこしのあいだ迷ったのです。勿論、鍋にたっぷり作ったカレーが完全に冷めるには二時間はかかります。浩さんの帰宅は毎晩たいてい八時ごろですから、それまでに帰っていれば、問題はないはずです。けれど美弥子さんのなかの何かが、すくなめに言うべきだと告げていました。

「どうかしら。一時間くらいなら」

それでそう口にしたのですが、口にした途端に、それでも自分が何かとり返しのつかないこと、言うべきではないことを、言ってしまった気がして胸苦しくなりました。

「了解です」

ジョーンズさんはゆったりと微笑んでこたえ、先に立って歩き始めます。足元のアスファルトが濡れているのは、さっき美弥子さんが、ガレージの鉢植えに水をやったからです。美弥子さんは、その濡れた部分を、離れたくないと感じて戸惑いました。勿論すぐに離れましたけれど。

「こういうの、つけている家はめずらしいですね」

ジョーンズさんが言い、それは古ぼけたブリキ製の防犯プレートで、「無用者無断出入厳禁」という赤い文字のわきに、最寄の警察署の電話番号が、くっきりした黒い文字で添えられていました。

「ほんとね」

プレートがあったのは美弥子さんの家の数軒隣、ごく近所の家でした。小さくて古めかしい、風情のある家だとは思っていましたが、そこにそんなプレートが打ちつけてあることに、美弥子さんはこれまで気づきもしませんでした。

坂をおりきったところで、子供たちが遊んでいます。何人かは美弥子さんも見知っている子供でしたから、

「こんにちは」

と声をかけました。子供たちも口々に、こんにちは、とこたえます。

「またひみつつくり?」

ジョーンズさんが尋ねると、なかの一人——黒々した髪をヘルメット形に切り揃えた、木綿のワンピース姿の色黒の女の子——が、大袈裟な足踏みと共に腕をふりまわして、

「んもー、言っちゃだめでしょおー」

と言いました。他の子供たちも、一様に「あーあ」という顔をしています。

「ひみつつくり自体が秘密だとは思わなかったよ。申し訳ない」

ジョーンズさんは言い、美弥子さんには何のことだかさっぱりわかりませんでしたが、ジョーンズさんが子供たちと、親しそうなことはわかりました。

「ひみつつくりって何ですか?」

子供たちのそばを離れ、お寺の方向に歩きながら、美弥子さんは訊きました。

「遊びの一種です」

ジョーンズさんはこたえます。

「友達同士で秘密をつくるんです。たとえばビー玉をよその家の植込みに隠しておくとか、貼り紙をめくって裏にいたずら書きをして、また元のように貼っておくとか」

「まあ」

美弥子さんは言いましたが、それは他に何と言っていいのかわからなかったからです。ジョーンズさんは、子供たちの遊びを知ることも、彼のフィールドワークの一部なのだと言いました。

「世界中の子供たちが鬼ごっこをしますし、かくれんぼをします。石けりに類する遊びや、なわとびのような遊び、ままごとも。でもその他に、いろんな新種の遊びもつくりだします」

このあいだは、と、ジョーンズさんは続けます。

「このあいだは、『乞食ごっこ』を見ました。店先にだしっぱなしになっている段ボール箱に、入って寝る遊びだとその子たちは説明してくれました」

「まあ」

美弥子さんはまた呟きました。

空はうすい水色に、ところどころ薔薇色を——やはり水でうすめて——刷いたような色あいです。商店街では主婦たちが買物をしている時間帯でした。大通りを渡るとき、美弥子さんはジョーンズさんの腕が自分の背中に——といっても身体に触れないよう十分な距離を保って、いわば背中の周りの空気を抱くような恰好で——まわされたのを感じました。まるで外敵から守ろうとでもするように、あるいはまるで、美弥子さんがいきなりばったり倒れるとでも、思っているかのように。信号が点滅を始めましたので、二人はそのままの姿勢で、小走りに横断歩道を渡ります。

時間がないのだから。

言葉にはしませんでしたが、美弥子さんはそう思いました。時間がないのだから、時間を無駄にしてはいけない。

乾物屋さんをのぞき——北海道小豆一リットル六百円、ひたし豆一リットル七百円、丹波黒大豆（飛び切り）一リットル二千五百円、鬼打豆一袋四百円——、まだ花が白緑色の、あじさいの垣根をまがって蛍坂をのぼります。

「シジュウカラ」

ジョーンズさんが言いました。

「シジュウカラ？」

「ええ、いま鳴いたでしょう？　ツピツピツピって」

美弥子さんが耳を澄ますと、たしかにそういう声がしました。あかるく高く、尻上がりの調子で弾けるように、ツピツピツピ、と。ジョーンズさんはにっこりします。それから自動販売機を指さして、何かのみましょう、と言いました。美弥子さんは感心します。ほんとうに、ジョーンズさんは物識《ものし》りです。大学の先生ですから、たとえば坂の名前の由来――昔はここに川が流れていて、蛍が飛びかって――や、お寺にまつわる史実――ここには誰それ(さっき教わったのですが、美弥子さんは忘れてしまいました)のお墓があって、しゃもじの曼荼羅《まんだら》(それが何であるにせよ)も奉納されています――を説明されてもさほど驚きはしません(ともかく美弥子さんの感覚ではそうでした。知的水準の高い外国人に、ありがちな博識ぶりではないでしょうか)。けれど鳥の名前や子供たちの遊び、鬼打豆の準備のし方――一昼夜水に浸して、水を切って金網にのせてとろ火で煎《い》る――や、あじさいはギリシャ語で「水の器」というのだということ、まで知っている人を、美弥子さんはこれまで見たことがありません。

ごとん、と大きな音がして、ジョーンズさんが何か缶に入ったのみものを、買ったことがわかりました。

「何にしますか?」

尋ねられ、美弥子さんは「お水を」とこたえました。さっきとはべつの大通りを右折して、二人は埃っぽい歩道を、それぞれののみものをのみながら歩きます。

「美弥子さんは、どんな夕方が好きですか」

ジョーンズさんが訊きました。

「どんな、夕方が好きか？」

くり返した美弥子さんは、自分でもそれと気づかず眉根を寄せましたが、それは、理解しにくいことを理解しようとするときの、この人の癖でした。

「夕方なら、冬よりも夏の方が好きです」

考え考え、そう口にします。舗道の割れ目からたくましくのびていたつゆ草を一本、ジョーンズさんはふいに手折りました。立ちどまり、手帖に丁寧にはさみこみます（美弥子さんには知る由もないことでしたが、ジョーンズさんはそれを、テキサスにいる娘さん――エレインという名前です――への手紙に同封するつもりでした。今年十九歳になるその娘さんは、まだ字もよく読めないようなころから、日本の草花や落ち葉、場合によっては海岸の砂や、ねぎ坊主――名前がおもしろいと、ジョーンズさんは思ったのです――の同封された手紙を、受けとってきました）。

「冬はすぐ暗くなりますから。夕焼けより、青白い空気になるときの方が好きです。窓から手をのばすと、自分の肌まで青白く染まりそうな夕方。あとは――。あとは何かしら。思いつかないわ」

「おもしろいな」

ジョーンズさんは言いました。

「夕方に、窓から手をのばすというのはおもしろい」

美弥子さんは首をかしげます。

「そうかしら。おもしろいかしら」

ジョーンズさんは美弥子さんに、自分が昔住んでいて、のちに放浪したこともある東南アジアの国々で、夕方になると子供たちがみんな――といっても家の手伝いのまだできない、幼い子供に限られていたのですが――、窓から顔をだしたり戸口に裸足で立っていたりしたことを話しました。ジョーンズさんにとってそれがとても印象的な光景だったこと、どの子も感情のあらわれていない、けれど喜怒哀楽ではない何かに強くとらえられたような、おなじ表情をしていたことも話しました。

美弥子さんは真剣な面持で耳を傾けたあと、

「興味深いわ」

と、言いました。

「でもなぜなの？　なぜその子たちはそんなふうに、外を見ていたのかしら」

「ここをまがりましょう」

ジョーンズさんは言ってから、「さあ」とこたえました。

「暑いからか、退屈していたからか、僕にはわかりませんけれども」

二人はしばらく無言で、狭い路地を歩きます。塀の上や縁台の下に、猫が何匹もうずくまっていました。わかるような気がする、と、美弥子さんは考えていました。暑いからでも退屈しているからでもなく、その子たちはただ見たいから、見ることでしか自分を確認できないから見ていたのだ。それにたぶん、そこにいれば安全だから、外はこわいかもしれないと知っているから。

ジョーンズさんが考えていることはまたべつでした。あのころ——というのは子供のころではなく、旅ばかりしていた二十代のころですが——、そういう夏の夕方に、友達のバイクのうしろに跨《また》がって、でこぼこの道をよく走ったものだった、ということや、友達は何人もいて、でも誰の身体もおなじように痩せてひきしまっていて、上半身はたいてい裸だったこと、バイクといってもひどくオンボロの原付で、乾いた泥がそこらじゅうにこびりつき、元々の塗装の色も判然としない代物だったこと、などをぼんやり思いだしていたのでした。

ひんやりした風が、二人のあいだを流れます。空にはもう薔薇色のかけらも残っていません。すこしずつ夕闇がおり始めています。

「あら、あの子」

美弥子さんは言いました。いつも足元にすり寄ってくる、うす茶色のブチのついた白猫が、ブロック塀の上に前足を折りたたんで落着き、じっと二人を見つめています。チョチョ、と舌を鳴らして呼んでみましたが、猫は耳をぴくりと動かしただけでした。

「いつもは呼ばなくても寄ってくるのに」

美弥子さんは言いました。ジョーンズさんといる自分を、不審がっているのかもしれないと思いましたが、勿論口にはだしませんでした。

「まだ子猫なのに、こんなところまで遠征しているのね」

呟いた美弥子さんにもわかるくらいはっきりと、横でジョーンズさんが、満足げな笑みをこぼしました。

「こんなところって、もうすぐそこが、あなたの家ですよ」

美弥子さんは口を小さくあけて驚きを表明し、それから心からたのしそうに笑いました。周囲を見まわし、頭のなかで地図をたどって、ようやくそこがどこだかわかったのでした(すぐそこ、というのは大袈裟すぎると思いましたが、それでもよく知っている場所でした)。

「いつ折り返したんですか?」

美弥子さんは言いましたけれど、返事を求めたわけではありませんでした。

「こんなに近くに戻ってたなんてびっくり。もっとずっと遠くまで、歩いてしまった気がしていましたから」

家の前に着いたとき、結局のところアスファルトはまだわずかに、まだら模様をとどめていました。美弥子さんにとって意外だったことに、約束の一時間より数分短い散歩でした。

「とてもたのしかったわ」

美弥子さんは言いました。

「こちらこそ、とてもたのしかったですよ」

片手をずぼんのポケットに入れ、片手で缶入りコーラを持ったまま立っているジョーンズさんは、なんだか知らないアメリカ人——事実そうなのですが——みたいに見えました。さっきまではひどく親密な気がしていたのに。

玄関に続く階段をのぼりながら、あっけなかった、という気持ちと、随分ながい時間遊んでしまった、という気持ちを、美弥子さんはいっぺんに受けとめなければなりませんでした。鍵をあけたあとで一度だけふり返り、手をふってみます。


扉が閉まるのを、ジョーンズさんは道に立って眺めました。つい一時間前に玄関に漂っていた、スパイスの匂いがよみがえります。彼女はこれから料理の仕上げをして、だんなさんの帰宅に備えるはずです。

アパートに帰ると、学生が二人遊びに来ていました。二人とも男子学生で、最近の子供の例にもれず、真面目すぎるとジョーンズさんの感じている若者たちでした。この部屋は煌々《こうこう》と電気をつけてしまうと侘《わび》しげに見える。ジョーンズさんは思いました。学生が二人、ごく地味な宴会——コンビニのお弁当と袋菓子、それに缶ビールをそう呼べればの話ですが——

をしているとなるとなおさら。

「冴えないねえ、きみたちは」

ジョーンズさんは言いました。

「ほかに行くところはないんですかね」

けれど内心、二人の存在を自分が歓迎していることに気づいてもいました。今夜は一人でいるよりも、誰かといたい気分でした。

「ひでえ」

「いつでも来ていいって言ったじゃん」

学生たちはそれぞれに、不満の声をあげました。

4

洗面台を磨きながら、美弥子さんはジョーンズさんのことを考えています。フィールドワークにでかけて以来、気がつくと考えているのです。ジョーンズさんが、まるで自分の街みたいに——美弥子さんの街でもありますし、美弥子さんの生れた国でもあるわけですが——道案内してくれたこと、空も道も家並も、普段とは違うふうに見えたこと、たった一時間だったのに、なんだか旅みたいだったこと。けれどいちばんしばしば思いだすのは、別れ際のことでした。あのとき私はそそくさと帰りすぎたかもしれない。美弥子さんは思います。そっけなすぎたかもしれないし、すこし失礼だったかもしれない。お礼を言うときも、ジョーンズさんの顔をまっすぐには見られなかったことを、美弥子さんは憶えています。見たら別れ難くなりそうで、どうしていいかわからず、でもどきどきするのはへんなことですから、ともかく早く家のなかに、逃げこみたかったのです。

扉の前でふり向いたとき、ジョーンズさんはまだ道に立っていました。片手をずぼんのポケットに入れ、もう一方の手にコーラの赤い缶を持って。美弥子さんには、ジョーンズさんが名残り惜しく思ってくれていることがわかりましたし、その気持ちが表れているかもしれない彼の顔を、見てしまうのがこわかったのです。それで缶を見ていました。缶と、水色のシャツを。

洗面台が、鏡まで含めてぴかぴかになると、美弥子さんは満足しました。ついでに寝室と玄関の鏡も磨こうと決めます。

ジョーンズさんがやってきて、一緒にお茶をのんだことは浩さんにも話しました（いつも、その日にあったことをたいていすべて、美弥子さんは浩さんに話します）。けれど一緒に散歩をしたことは話しませんでした。ささいなことですし、話しても浩さんは気にしなかっただろうと、美弥子さんにはわかっています。でも、だからこそ、話さなくてもかまわないかなと思えたのです。ちょっとした特別なことというのは、言ってしまうとそれまでほど特別ではなくなってしまうものですからね。

不思議なのは――。戸棚から脚立をだして三和土《たたき》に置き――玄関の鏡はとても長く、それに乗らないと上の方は拭けません――、美弥子さんは考えます。不思議なのは、ジョーンズさんといると、とても親しい人といるような気持ちになることだわ。実際、それは不思議なことでした。美弥子さんとジョーンズさんは、たいして親しい間柄とはいえません。それなのに、美弥子さんはジョーンズさんといると、ときどき夫より家族より親しい誰かといるような気がするのです。

鏡を磨き終え、時計を見ると午後一時をまわっていました。美弥子さんは、きつねうどんでも作ってたべようと考えながら、脚立を戸棚に戻します。どんよりと曇った、いまにも雨の降りだしそうな昼下りです。


おなじころ、ジョーンズさんは大学で、講義をしていました。中くらいの大きさの教室は四階で、埃と水分をたっぷり含んだ曇り空が、窓から見えます。授業の名前は「比較文学研究」で、登録している学生の数は多いのですが、出席している学生の数はすくない授業でした。

ジョーンズさんは、授業中に居眠りをしている学生がいても叱りません。若い時分には、自分もいくらでも眠れたことを憶えています。出席者数と出席票の数が合わなくても、原因を解明しようとしたりしません。みんなそれぞれに用事があるのでしょうし、用事があるのはいいことだと思うからです。授業中の飲食も認めています。携帯電話の使用だけは禁止していましたが、それ以外は学生の良識と、自主性に任せる方針をとっています。そしてこの方針は、ジョーンズさんの専門である西洋哲学の講義や、夜学で受け持っている英語、女子大で教えているラテン語の講義の場合もおなじです。

その結果、ジョーンズさんの教室は、しばしばきょうのようにがらんとしていましたが、ところどころに坐っている学生たちは、揃って真面目ないい子たちなのでした（選別しなくても自動的に選別されるのですから、かえって都合がいいとジョーンズさんは考えています）。

「何か質問はありますか？」

ポケットからハンカチをだし、指についたチョークの粉を拭いながら、ジョーンズさんは言いました。黒板には、「だましだまし」「地団駄」「たたら」などの文字が書きつけられています。学生が二人質問し、ジョーンズさんはこたえました。他に質問がでないようでしたので、ジョーンズさんは教壇をおり、廊下にでます。すると、女子学生が一人追いかけてきました。サブテキストとして配ったイギリスの小説のコピーを持っていましたので、何か質問があるのだろうとわかりました。

「あの、先生の講義の内容じゃなく、英語についての質問なんですけどいいですか？」

「構いませんよ、もちろん」

ジョーンズさんはにっこりして言いました。女子学生と話すとき、ジョーンズさんは男子学生と話すときよりも気を遣います。不要な誤解を招くおそれがあるからです。男女を問わず、ジョーンズさんは若い人というものが好きでしたし、それとは全く違った意味で、若くても若くなくても女性というものが好きでした。女子学生のなかには偶《たま》に、不適切な好意を示す子がいますし、さらに偶にですが可愛らしい子である場合もあります。ジョーンズさんは教員として、学生と好ましからざる関係になったことは勿論一度もありません（ただし卒業すればべつです。事実、ジョーンズさんはそういう元の教え子——いまは立派なお勤め人です——と、ときどき二人で食事をしたり、食事以外のことをしたりもします。互いに相手を魅力的だと思っている大人の男女なら、そうしていけない理由などあるでしょうか）。

さて。そういうわけで十分に注意深く女子学生の質問にこたえたあと、ジョーンズさんは講師控え室に戻り、コーヒーメーカーに作り置きされた、煮つまったコーヒーをのみました。固いソファに腰掛けて、膝《ひざ》に載せた鞄の上で、大学に提出すべき書類の記入をすませます。

美弥子さんに会いたい、と、ジョーンズさんは思いました。とても切実にです。

たしかにジョーンズさんは、以前から美弥子さんを気に入っていました。何しろ小鳥のような人なのです。街でばったり出くわすだけで嬉しくなりましたし、はじめて言葉をかわしたときには、この人とは通じあえる、という確信と共に、奇妙な懐かしさにとらわれもしました。ジョーンズさんの経験では、それはすばらしい関係の始まりを意味しています。

けれどいま、講師控え室の隅に坐ったジョーンズさんは、心細い気持ちでいっぱいでした。すばらしい関係と心細い気持ちとは、かけ離れていると言わざるを得ません。会いたいなら会いに行けばいい、というのがジョーンズさんの考え方ですし、美弥子さんに対しても――「へんな外国人」だと思われる危険も承知の上で――そうしてきました。好きな女性に会いに行くのに、恐怖を感じたことなどこれまで一度もなかったのです。

恐怖?

ジョーンズさんは自問します。一体何に対する恐怖なのだろう、と。

思いだすのは別れ際のことです。とてもたのしかったわ。美弥子さんは言い、ジョーンズさんの目の前で、門をかちゃりと閉めました。軽快な足どりで階段をかけあがり、不慣れな仕種で手をふると、扉の向うにたちまち姿を消しました。そこは美弥子さんの家ですから、なにもかも当然でした。でもジョーンズさんはそのとき、ほんとうに信じられない思いがしたのでした。美弥子さんが突然いなくなったことと、自分がなす術もなく彼女を行かせてしまったことの、どちらがより信じられなかったのか、は、彼自身にも謎でした。まったく理屈に合いませんが、ジョーンズさんはあのとき、不当にもいきなり美弥子さんを奪われたと感じたのですし、もう一度おなじ目に遭うことには耐えられそうにありませんでした。

控え室をでて、エレベーターに向って暗い廊下を歩きながら、何たる弱虫だろう、と、ジョーンズさんは自分自身を批判しました。物事には始まりがあり、始まりがあれば終りもあります。美弥子さんと過す時間にだって、それがあってあたりまえです。別れ際の淋しさがこわくて会いに行けないなどということは、本末転倒、笑止千万ではないでしょうか。

そこまで考えたとき、エレベーターがちょうど一階に着きました。ホールには、休講を知らせる掲示板があり、そのまわりの壁は、演劇やコンサートのチラシ、アルバイトの募集を告げる夥しい数の貼り紙で埋めつくされています。きょう、まさにこの足でまっすぐ、美弥子さんの顔を見に行ってみよう。ジョーンズさんはそう決めて、ガラスの扉を押しあけ、曇り空の下にでました。

たいがいは家にいる、とジョーンズさんに言った美弥子さんでしたが、たまたまこの日も留守にしていました。というのも、掃除を終え、うどんを食べているときにお母さんから電話があって、今年も梅酒をたくさん漬けたから、いつでも都合のいいときに取りにいらっしゃい、と言われたからです。美弥子さんのお母さんが「いつでも都合のいいときに」と言ったら、それは「早く」という意味です。「きょうはどうなの」という意味でもあります。こういう用事を先のばしにすると碌《ろく》なことになりませんし、萩中《はぎなか》の家——美弥子さんの生れ育った家です——までは、首都高を使えば三十分の距離ですから、美弥子さんは、じゃああとでいただきに行くわとこたえたのでした。

すぐに帰るつもりでした。夕食の仕度がありますし、アイロンかけもたまっています。けれど玄関でタップダンスを踊りながら吠えて、ふさふさの尻尾を激しくふる白いチワワ――レンくんという名前です――の歓迎を受け、居間の坐布団に坐ったときにはもう、そういうわけにはいかないだろうことが美弥子さんにはわかりました。テーブルにはお茶とお茶菓子の準備が整っていたばかりではなく、ちらしずしの入った飯台が、上に新聞紙をかぶせてどっしりと中央に置いてあったからです。ちらしずしは、お客様をもてなすときに、お母さんが好んでつくるものの一つです。

「浩さんに電話して、お仕事が終ったらこっちに寄るように言いなさいね」

案の定、お母さんは言いました。

「そうすればあなたも、ごはんつくる手間がはぶけるでしょ」

そういう手間をはぶきたいと思ってはいない、と美弥子さんは思いましたが、口にだすことは控えました。

「お父さん、いま隣に棚を直しに行ってるんだけど、もうすぐ帰ってくるから」

隣の家にはおばあさんが一人で暮しています。美弥子さんのお父さんはもともと大工仕事が得意で、市場の仕事をほとんど引退したいまは時間もありますから、ちょっとした修理や力仕事を、自分の家のほかに隣家でも引き受けています。

「品物は上等なんだけど使わないネクタイをね、浩さんに見てもらって、気に入ったら持って帰ってもらおうと思ってるのよ」

仕方がない、と美弥子さんは思いました。人一倍お洒落な浩さんが、お古のネクタイなど気に入るはずもありませんでしたが、それでもこれは、避けられないことでした。人生には、避けられないことというのがちょくちょくあります。

「わかった。ひろちゃんに電話するわ」

美弥子さんは言い、携帯電話をとりだしました。部屋の壁には額入りの賞状や、商売繁盛を願って毎年浅草の酉の市にいただきに行く、くまでが飾ってあります。床には野菜の入った段ボール箱や、積み上げて束ねてある新聞紙、ケースに入った日本人形、ミッキーマウスの目覚まし時計（これは人形ケースの上にのっていました）、時期尚早にもだしてしまったらしい扇風機、犬用の電気毛布といった品々が、それぞれに位置を占めています。茶簞笥の上の裁縫箱と虎張子、茶簞笥にたてかけられたアイロン台とくけ台。

あいかわらずごたごただわ。

美弥子さんは思いました。

僕は好きですよ、ごたごたした家というのは。

ジョーンズさんの言葉がよみがえります。

「もしもし、ひろちゃん？」

言葉といっしょにジョーンズさんの声や気配、表情までよみがえり、美弥子さんは自分が、それを快く感じていることに気づきました。快く、温かく。

「あのね、いま萩中にいるの」

話を聞くと、浩さんは美弥子さんの両親と食事をすることを、あっさり承諾してくれました。

「何か買っていくものがあれば買っていくよ」

「いいの、いいの。この家にはただでさえ、ありとあらゆるものがあるんだから」

美弥子さんはこたえ、

「ネクタイとか」

とつけたしました。そんなことを言っても浩さんには意味がわからないだろうと思われましたが、浩さんの返事は、

「わかった」

でした。

「わかった。じゃあ終ったら、まっすぐそこに行くよ」

ネクタイって？　と訊かれることを予期していた美弥子さんは、多少拍子抜けしましたが、

「ありがとう。待ってるわ。気をつけてね」

と言って電話を切りました。ひろちゃんは、三つの言葉のうちの幾つまで、耳に入れてくれただろうかと考えながら。

そういうわけで、ジョーンズさんが美弥子さんの家の呼び鈴を鳴らしたとき、インターフォンから返ってきたのは沈黙だけでした。なかでお茶をのんだりおしゃべりしたりしなくてもいいから、ともかく一目顔を見たい、と思いつめていたジョーンズさんは、あきらめきれず、しばらくそこにじっと立っていました。時間は早かったのですが、あたりはすでに暗く、美弥子さんの家以外の家は、窓にあかりが灯っています。

一度アパートに帰ったジョーンズさんは、普段着に着替えると傘を持って——というのも、そのころには大粒の雨が、むっとする六月の夕方の、埃くさい大気をきりさくようにぽつぽつと降り始めていましたから——、もう一度美弥子さんの家に行ってみました。彼女はすぐ近所まで、買物にでただけかもしれない。そう思ったからです。家はいかにも無人らしく見えました。呼び鈴を鳴らしてもおなじことでした。ジョーンズさんは銭湯に行き、中華料理屋さんで夕食をすませると、そのあとで——勿論もう呼び鈴を鳴らすつもりはありませんでしたが——もう一度だけ、遠まわりをして美弥子さんの家の前を通ってみることにしました。

どの窓も暗いままです。傘を打つ雨の音が、ひときわ強くなりました。

その夜、美弥子さんは浩さんと、ひさしぶりに性交をしました。なんとなく、そうしたい気持ちになったのでした。美弥子さんの実家で、とても感じよくふるまう浩さんを見たせいだったかもしれませんし――何しろ浩さんは、お母さんのおしゃべりに何度も笑い声をあげ、お父さんのお酒につきあって、おまけにお古のネクタイを二本、欲しいと言ってくれたのです――、両親に見送られて車に乗るときに、自分たちが夫婦であり、二人でおなじ場所に帰るのだ、という気持ちがしたせいだったかもしれません。

美弥子さんの誘い方はいつもおなじで、きわめてシンプルです。

「待って」

浩さんが寝室に向ったら、急いでそう言うのです。

「いまシャワーを浴びてくるから待ってて。すぐだから待ってて」

と。それだけで、浩さんにはわかります。

「待てない」とこたえたり、ただにやにや笑ったり、わざと頓狂な声で、「こわいよう」と言ったりします。きょうは「待てない」の日でした。すこし酔っていたせいもあるのでしょう。言うだけではなく追いかけてきて、美弥子さんの腰をうしろから抱きすくめました。

「だめよ、待ってくれなきゃ」

美弥子さんは言いましたが、首をひねって唇だけ受けとめました。基本的に、浩さんは性急です。そのままスカートの下に手を入れて、ショーツに指をひっかけます。美弥子さんはぜひともシャワーを浴びたいのが本音でしたけれども、押しつけられた部分が固く熱くなっていましたので、断念することにしました（結婚したばかりのころ、美弥子さんは浩さんのあくなき欲望に、半ば怯えたものでした。けれどそれから八年が経ったいま、優先されるべきはタイミングだということを、何度かの残念な経験から、学習していました）。
ベッドにたどりついたとき、美弥子さんのショーツはスカートの下で、膝までおろされていました。美弥子さんは足だけを使ってそれを器用に脱ぎながら、枕元のあかりをつけました。天井の電気は浩さんが消します。二人は競争のように服を脱ぎ、競争のように布団にもぐり込みました。美弥子さんは手足をのびのびと広げて、浩さんを受けとめます。愛撫もなく、言葉もなく、何の憂いもない性交でした。聞こえたのは、互いに息を殺し声をのみこむかすかな音と、肌と肌のぶつかる、徐々にスピードのあがるぴたぴたという音、それに屋根を窓を地面を打つ、激しい雨音だけでした。

5

呼び鈴が鳴ったとき、美弥子さんは四歳の子供とならんでソファに腰掛けて、アニメーションビデオを観ていました。午後で、台所では杏がジャムになりつつあり（杏は、美弥子さんの実家の庭で穫れたものです。きのう、梅酒やネクタイと一緒に、お母さんが持たせてくれたものでした）、雨は静かに降り続いています。フィールドワークにでかけて以来、呼び鈴が鳴るたびにジョーンズさんかもしれないと考え、違うとがっかりしたりほっとしたりして、ざわざわした心持ちだった美弥子さんは、実際にジョーンズさんが来てくれさえしたら、すくなくともこの馬鹿馬鹿しいざわざわは、治まるはずだと考えていました。インターフォンごしに声を聞き、白黒画面で姿を確認したときにはたしかにそのように感じましたから、

「どうぞ、あがってらしてください」

と、朗らかにこたえたのでした。これでもう大丈夫。そう思ったのです。けれど立体生身のジョーンズさんが、ビニール傘の先から水をしたたらせ、外気と雨の匂い――それにかすかに、男性化粧品のぴりっとした匂い（あの日、横断歩道で接近したとき漂った匂いとおなじでした）――をまとって玄関に立っているのを目にした途端、美弥子さんの心臓は、ざわざわどころかばたばた暴れだしました。

「こんにちは。おじゃましても構いませんか」

いつものように、ジョーンズさんは言いました。

「ええ、もちろん」

美弥子さんも、いつものようにこたえます。

「エリカちゃんが来てるんです。きょうは私、臨時のベビーシッターで」

エリカちゃん――利恵子さんとデレクの一人娘です――は、大人しく坐って、耳の大きな動物が主人公の、ビデオを観続けていました。チェコの人形劇だというそれは、絵本やぬいぐるみ、おやつの野菜スティックと一緒に、利恵子さんが用意したものです。

「ケニー！」

ジョーンズさんを見ると、エリカちゃんは嬉しそうな声をあげました。

「ハイ、エリカ」

ジョーンズさんもこたえます。エリカちゃんは自分の隣をぽんぽんと叩いて――さっきまで美弥子さんが坐っていたのと反対側を叩いたのは、子供なりに気を遣ってのことでした――、ジョーンズさんに坐るよう促しました。それからテレビ画面を指さして、可愛らしい口調の英語で何か説明し、くくくっと、首をすくめて笑います（エリカちゃんは、四歳にして完璧なバイリンガルでした）。

美弥子さんは、台所で三人分のお茶をいれました。ジョーンズさんの名前がケニー――というこ とはケネスかしら、それともケニーだけで正式な名前になるのかしら――だということを、はじめて知ったと思いながら。ジャムはまだ発展途上ではありましたけれど、香りよくとろけて煮つまってきていましたから、熱いまま、ヨーグルトに添えることにしました（ヨーグルトなら、おやつにわざわざ野菜スティックを持たせる潔癖なママの利恵子さんも、大目に見てくれるだろうと思ったのです）。こうして台所から眺めていると、ジョーンズさんとエリカちゃんは、文句なく美しい父子——というには年が離れすぎていますけれど——に見えました。二人の話す英語を音楽のように——英文科出身で、高校時代には五か月間イギリスに交換留学したこともある美弥子さんでしたが、二人の会話は半分も理解できなかったからです——耳に入れながら、きょうエリカちゃんがいてくれてよかった、と、美弥子さんは思いました。ジョーンズさんと二人きりだったら、ひどくどぎまぎしたに違いないもの、と。

「おやつですよ」

お茶とヨーグルトをお盆にのせて運び、美弥子さんは言いました。

野菜スティックを、エリカちゃんはとてもおいしそうにかじります。小さな歯が、胡瓜やセロリをシャクシャクと噛み砕く可愛らしい音を、美弥子さんは聞きました。すすめられ、ジョーンズさんはにんじんを、美弥子さんはセロリを、一本ずつかじります。うさぎの家族になったような気がしました。雨が、空気にからまるように降る音がしています。

ジョーンズさんがジャムの味をほめてくれましたので、美弥子さんは、それが実家の庭になったものだということを話しました。毎年、春には白い花が咲き、梅雨のころにはやさしい色のまるい実が、たわわにつくということを。

「そうそう、母がよろしくと言っていました。このあいだの布団叩きのことで、ジョーンズさんが喜んでらしたって伝えたら」

美弥子さんは言いました。ほんとうは、お母さんは「よろしく」と言ったわけではありませんでした。

「まあ、外人さんなの?」

それが、彼女の言ったことです。年齢や職業、家族の有無など幾つかの質問をしたあとで、

「まあ、お気の毒に。淋しい境遇なのねえ。そういう人には親切にしてあげなさいね」

と言ったのでした。けれどそれをそのまま伝えたのではあけすけすぎる、と思いましたので、美弥子さんは簡潔にまとめたわけなのでした。

「ありがとうございます」

ジョーンズさんは言いました。ジョーンズさんにとっては、お母さんが実際に何と言ったかは問題ではなく、自分のことを美弥子さんがお母さんに、どんなふうに説明したのかが知りたいところだったのですが、そんなことを訊くのは不躾《ぶしつけ》ですから、お礼を言うだけにとどめました。

そして、この家に遊びに来るようになってはじめて、ジョーンズさんは落着かない気分というか、居心地の悪さを感じていました。エリカちゃんをはさんで、こんなふうに家族みたいにならんでお茶をのんでいるというのは、あきらかに彼の想像した状況と異なっていま

す。でも、それでは一体何を想像していたというのでしょうか。

ジョーンズさんは、ゆうべ三度もこの家の前に来たことを、きまり悪く思いました（その時間、美弥子さんは実家で、おそらくは御主人も一緒に、たのしいひとときを過していたのです）。この広い家のなかで、美弥子さんはきょうもとても満ち足りたふうに見えます。だいたい、満ち足りていない女性がジャムなど煮るでしょうか。部屋じゅうにたちこめている甘い匂いは、ジョーンズさんに、お前は場違いだと告げているようでした。ほんとうに、この家はいつ来ても生活の匂いがするのです。カレーとか、ジャムとか、床磨き剤とか。

「読んで」

エリカちゃんの声がして、ジョーンズさんは我に返りました。いつのまにかビデオは終っていて、膝に、絵本がひらいた形で押しつけられていました。英語版の『一〇一ぴきわんちゃん』です。おなじお話を、遠い昔にエレインのために読んだことがありました。もちろんスティーブのためにも。

朗読するジョーンズさんと、ジョーンズさんの膝にかじりつくようにして絵本を見ているエリカちゃんを眺めながら、美弥子さんはバスケットから縫いものをとりだし、こういうのって「大草原の小さな家」みたいだわと思いました。といっても本ではなく、テレビ番組のことです。美弥子さんは子供のころ、NHKで放映していたそのテレビドラマが好きで、あいうお父さん――というのは俳優のマイケル・ランドンのことですが――がいたら、子供たちはどんなに安心で幸福なことだろう、と考えていたのです。美弥子さんが、その思いを口にださなかったのは幸いでした。なぜならジョーンズさんの意見では、その番組もとても筋肉主義者的《マチスト》で、正視に堪えないものだったからです。あれはプロパガンダだ、というのがジョーンズさんの考えでした。父祖たちの国、善なるアメリカ、強い父親とやさしい母親、そうあらねばならないという強迫。

「あたりまえですけれど」

朗読が終ると、美弥子さんはおずおずと言いました。

「あたりまえですけれど、英語とてもお上手なんですね」

美弥子さんは、自分でもつまらないことを言ったと承知していました。ジョーンズさんの声は、英語を話すときの方がずっと自然で、ずっと深みがあり、ずっと男性的でした。そのことに感銘を受け、すこし動揺もして、ついそんなことを言ってしまったのです。

「ごめんなさい、失礼なことを言うつもりじゃなかったんですけど、ジョーンズさんは日本語があまりにもお上手だから、私、たぶんそれに慣れてしまっていて」

美弥子さんがしどろもどろに釈明すると、ジョーンズさんは大らかに、

「僕にとってはほめ言葉でしたよ」

と、こたえました。大人二人のそのやりとりを、エリカちゃんはさもくだらないという顔で、聞き流しました。

「きょうね、エリカちゃんを預ってるとき、ジョーンズさんも来たのよ」

夕食がすみ、ソファに寝ころがってテレビを観ている浩さんに、美弥子さんは報告しました。

「エリカちゃんたらおしゃまなの。ジョーンズさんのこと、ケニーって呼ぶのよ、対等な者同士みたいに」

思いだし、美弥子さんはくすくす笑います。

「まあ、向うではそれが普通なのかもしれないけれど」

「普通なんじゃない？」

というのが、浩さんの返事でした。浩さんにとって、美弥子さんがその日にあった出来事を、あれこれ話してくれるのは嬉しいことでした。奥さんが機嫌よく暮しているしるしだと思うからです。

「それでね、迎えに来たのは利恵子さんじゃなくてデレクだったんだけど、ベビーシッターのお礼にって言って、このお花を持ってきてくれたの。学校の庭に咲いてるんですって」

コップに挿した小さな薔薇を、美弥子さんは浩さんの目の前まで持っていって見せました。

「きれいじゃん」

浩さんは言いました。

「ジョーンズさんっていい人だね」

美弥子さんは黙ります。もう一度最初から説明した方がいいのかどうか、判断に迷ったからでした。ジョーンズさんの話は、きのうも実家でしたばかりです。エリカちゃんやデレクとは、浩さんも何度も会ったことがあります（バーベキューパーティに招待されたことがありますし、一緒にテニスをしたこともあります）。

「お花をくれたのはデレクよ。エリカちゃんのパパ」

美弥子さんは言い、浩さんの顔をのぞきこみました。

「憶えてないの？　デレクのこと。ひろちゃん一緒にテニスしたでしょう？」

美弥子さんの顔が自分とテレビとのちょうどあいだにありましたので、浩さんは身体の位置をずらしました。

「もちろん憶えてるよ」

そしてこたえます。

「彼も来たの？　きょう？　千客万来だね」

美弥子さんは説明するのをあきらめました。

「コーヒーをいれるけどのむ？」

のむ、という浩さんの返事を聞いて、美弥子さんは、どうしていまのは通じたのかしら、と、不思議に思いました。

その日、ジョーンズさんが仕事を終えてアパートに帰ると、ナタリーが来ていました。上野の工房から直接やってきたらしく、おもてに自転車が停めてありましたので、ジョーンズさんには、誰が自分の部屋に遊びに来ているのか、すでにわかっていました。

「めずらしいね、こんな時間に」

それで、部屋に入るなりそう言いました。こんな時間、というのは夜の九時すぎということです。

「いいニュースがあるのよ。何だと思う？」

玄関で出迎えたナタリーは、勢い込んで言いました。騒々しい――とジョーンズさんの思う――音楽が、彼女の持ち込んだらしいポータブルプレイヤーから流れています。

「さあ、わからないな。何？」

ジョーンズさんはすこしくたびれていました。というよりも、ゆうべ自分が三度もあの家に行ったことや、きょうの午後、美弥子さんがあまりにも普段通りに、満ち足りて幸福そうに見えたこと、娘を迎えにきたデレク――獅子のような髪をした、陽気で潑剌としたデレク――に、おや、こんなところで会うとは思わなかったな、とでもいうような、意味ありげな目配せをされたこと、などをまだ気に病んでいたのです。授業中も、授業の前に控え室でサンドイッチとコーヒーの夕食を摂っているあいだも、帰りの電車のなかでさえ、そのせいでずっと胸に何かつかえているような気持ちでした。

考えても仕方のないことを、いつまでも考えるのはやめたらどう？　子供じゃないんだから。

そういえばジョーンズさんは、テキサスにいたころ奥さんのリンダに、何かというとそう咎められたものでした。リンダは豊かな赤毛の持ち主で、その髪と色白の肌によく映える、レンガ色の口紅を好んでつけていました。

両手を大きく広げるゼスチャーつきで、ナタリーが「いいニュース」を報告します。それは、「現代外国人陶芸家」五人による、作品の展示即売会という催しが、都心のデパートでひらかれることになり、その五人のうちの一人に、ナタリーが選ばれたというニュースでした。

「それはよかった」

ジョーンズさんは心から言い、ナタリーの肩を抱いて、頭のてっぺんに祝福のキスをしました。

「おめでとう。僕はきみが誇らしいよ」

それも勿論心からの言葉でしたが、声には疲労が、濃くにじみました。ナタリーは不満そうに身体を離して、

「どうかしたの？」

と訊きました。

「せっかく知らせに来たのにちっとも嬉しそうじゃないのね」

嬉しいよ、どうしてそうじゃないなんて思うんだい。ジョーンズさんはこたえましたが、内心困惑していました。それほどは嬉しくない、と気づいたせいでもありますし、程度はともかく嬉しいとして、それをこれ以上どうやって、表現すればいいのかわからなかったせいでもあります。ナタリーは立ったまま、いかにも傷ついたような顔つきで、ジョーンズさんを見ています。Tシャツにスウェットパンツというういつもの服装でしたけれど、きょうのそれは仕事着で、乾いた泥や釉薬《うわぐすり》のしみが、あちこちについていました。

ジョーンズさんはため息をつきました。ふいに、自分が愚かな年寄りになったような気がしたのです。陶芸家としてのナタリーは、お世辞にも成功しているとはいえません。作品についていえば、個性的、というのがジョーンズさんに思いつく、いちばん肯定的な表現でした。でも、だからといって、よりによっていま、「いいニュース」を聞いた直後にそれを悲しく感じるなどというのは、自分が年を取ったしるしだと、ジョーンズさんは思います。先を、勝手に見越してしまうのです。

「ねえ、ほんとうに、どうしたっていうの？」

ナタリーは、もう一度訊きました。プレイヤーのスイッチを切り、

「早くその窮屈そうな服着替えれば」

とぶっきらぼうに言い置いて、台所に向います。

「ウイスキーもらうね。それに氷。乾杯くらいしてくれるんでしょう?」

「もちろんだよ」

できるだけあかるく声を響かせて、ジョーンズさんは言いました。台所からは床を踏む足音や、冷凍庫を開け閉めする音、グラスに氷の落ちる音が聞こえてきます。


よく晴れた、日曜日のことです。美弥子さんは浩さんと、近所の喫茶店にブランチにでかけました。子供のいない、身軽な夫婦にふさわしく、休日には、二人はときどきそうするのです。ついこのあいだまでやわらかな新緑だった街路樹の緑が、たっぷりと豊かな、いっそ重たげな濃緑になって頭上にはりだしています。

「見て、厚ぼったい緑」

美弥子さんは言いました。勿論、浩さんの腕をつかんでからです。そうしないと、浩さんがどんどん先に行ってしまうことが、美弥子さんにはわかっていました。浩さんは乞われるままに立ちどまり、美弥子さんの手が自分の腕から離れるのを待ってから、また歩きだします。

「暑いのね」

日灼けをおそれて長袖のブラウスを着てきた美弥子さんは呟いて、また夏が来たことを知りました。

「夏は毎年くるのに」

まぶしそうに空を見上げて、美弥子さんは言いました。

「そのたびにびっくりするのはどうしてかしら」

こんにちは、と言った美弥子さんが浩さんの腕をつかみましたので、浩さんは立ちどまり、目の前の女性——五十代と思われる、所帯じみた小太りの女性——に、おそらく自分も挨拶をした方がいいのだろうと感じました。

「こんにちは」

それでそう言いました。浩さんの声はよく通り、笑顔は屈託のないものでしたから、美弥子さんには目の前の女性——ななめ前の家の奥さんでした——が、浩さんを、とても感じのいい御主人だわと、思ったことがわかりました。美弥子さんが腕をはなすと、まるで許可をもらったかのように、浩さんは歩きだします。美弥子さんはくすりと笑いました。まるで犬の散歩だわ、と思ったからです。

店のなかは、コーヒーの香りでいっぱいでした。入ってすぐの場所にあるマガジン・ラックから、浩さんが新聞をぬきとります。美弥子さんはこの店のバタートーストが好きで、浩さんは缶詰めのマッシュルームの入った和風スパゲティというものが好きです。

注文を終えたとき、美弥子さんは奥の席の白人女性が、じっとこちらを見ていることに気がつきました。デレクの語学学校の、講師の一人です。名前は思いだせませんでしたが、以前たしかに会ったことのある人でしたから、美弥子さんは軽く会釈をしてみました。けれどその女性は、気づかなかったのか全く反応を見せず、手元の本に視線を戻します。美弥子さんも、視線を自分の正面に戻しました。愛用のキャップを目深にかぶった浩さんが、スポーツ新聞をひろげています。

ナタリーが見たものは、いかにも仲のよさそうな、若い夫婦連れの姿でした。注文するのも、夫のコーヒーにミルクを入れるのも自分の役目だと決めているらしい妻と、そういう妻に満足しきっているように見える夫と。二人は食事の途中でお皿をとりかえて、パスタとトーストを分け合っています。

ジョーンズさんが、彼女の一体どこに魅力を感じているのか、ナタリーには皆目見当がつきません。笑顔が可愛らしいことは認めざるを得ませんでしたが、笑顔などというものは、誰が浮かべても大抵可愛らしいものです。

腹が立つのは、美弥子さんがひどく無邪気に見えることでした。まるで、自分の良心には一点の曇りもないというように。ナタリーの意見では、それは誰かの――あるいは何かの――保護下にある女の特徴でした。遠い昔、自分もそうだったことを憶えています。夫だった男性の横で、いまの美弥子さんみたいににこにこしていたときが確かにあったのです。

これはまだジョーンズさんにも話していないことでしたが、ナタリーには最近恋人ができました。恋人といっても妻子のある男性で、でもナタリーはその人のことが、心の底から好きでした（それは岡田家の息子さんで、ナタリーに工房を使わせてくれている陶芸家です）。ナタリーは、その人のためなら何でもできるし、何だって差しだせると感じています。そして、それこそ良心に一点の曇りもなくそう感じられるということは、誰かの――あるいは何かの――保護下にある女には、決してできないことなのです。

カウンターのなかのミシェルに合図を送り、ナタリーはコーヒーのおかわりをしました。

それから読みかけのつまらない小説に、意識を戻します。


ブランチが済むと、美弥子さんはいつも買っている二種類のコーヒー――ハワイアン・コナ・ブレンドと、アグア・ブランカ――を、二百グラムずつ挽いてくれるようお店の人に頼みました。お会計をすませ、まだ温かいコーヒーの包みを受けとっておもてにでると、午後の風が、鼻をまぶたをくすぐります。

あ、シジュウカラ。

美弥子さんは思いました。ツピツピツピ、と、尻上がりのあかるい声が、すぐ近くで聞こえたからです。あれ以来、美弥子さんはシジュウカラに敏感です。自分でもそれを可笑しいと思っていました。このあたりには小鳥がほんとうにたくさんいて、いろんな声で鳴いているのに、シジュウカラの声だけが耳につくのですから、まったく可笑しいことなのでした。

6

美弥子さんは網戸を洗っています。よく晴れた朝の九時半です。網戸ははずさず、外側からホースで水をかけてから、洗剤をしませた布で両側を拭き、さらにブラシでこすります。丁寧に洗っているつもりでも、網目の一つ一つまできれいになっているという実感は、なかなか得られません。こういう作業は、どこかで「これでよし」としなければならず、美弥子さんはいま、それがいつなのか見極めようとしているところでした。

玄関の呼び鈴が聞こえ、美弥子さんは「はーい」と言いながら、家と塀とのあいだのスペースを、つきあたりまで進みました。そこからなら門を見下ろせますし、室内にとびこんでインターフォンをとるより早いと思ったのです。大学用のぱりっとした服装をした、ジョーンズさんが立っていました。

「まあ」

美弥子さんが感じたのは、この日の青空とおなじくらいの、まぶしいほどの喜びでした。

「おはようございます」

あかるすぎる、と自分でも戸惑うような声がでました。網戸洗いに集中していたせいで、ジョーンズさんかもしれない、と思いさえしなかったのです。嬉しい驚きというのは、人をほんとうに無防備にするものです。

「どうぞ。あがってらしてください」

早く、とつけたしそうになり、美弥子さんはすんでのところでその言葉をのみこみました。一体なぜ「早く」なのかわかりませんでしたが、それが、美弥子さんの心に浮かんだことでした。早く。早く。早く。

お日さまの位置のせいで、ジョーンズさんは物理的にもまぶしさを感じていました。思いもかけない場所――道路からだとまるで二階のように見える塀の内側、玄関からは遠い場所――から、いきなり美弥子さんが顔をだしたのです。麦わら帽子をかぶっています。

「おはようございます」

手をかざして日ざしを遮って、ジョーンズさんは美弥子さんを見上げました。

門をあけ、階段をのぼって玄関の前に立ったとき、ぱちぱちざくざく玉砂利を踏む音をたてて、美弥子さんが横に現れました。黒いTシャツとジーンズ、足元は男性用のサンダルです。

「お庭仕事ですか?」

ジョーンズさんは訊きました。目が合ったとき、ジョーンズさんは美弥子さんの表情が、喜びに輝いたような気がしたのですが、美弥子さんが帽子を脱ぐためにうつむいてしまいましたので、ほんとうにそうだったのか、自分の思いすごしか、すぐにわからなくなりました。

「いいえ、網戸を洗ってたんです」

美弥子さんが言い、彼女の衣服があちこち濡れていることの、説明がそれでついたとジョーンズさんは思いました。

「いやだ」

美弥子さんは、目を大きく見ひらいて言いました。

「玄関、鍵がかかってるんです。ちょっと待っててくださいね」

玉砂利を踏み、元きた方へひき返していく美弥子さんは少年のように機敏で、朝から家事に精をだしていたと聞いたせいもあいまって、あの華奢な体のどこにそんなエネルギーをひそませているのだろうと、ジョーンズさんは思いました。

待っていると、内側から扉があいて、すでによく見知っている室内にジョーンズさんは足を踏み入れました。その瞬間に、美弥子さんが怯えた顔をしたような気がしたのですが、それもさっきと同様に、彼女がすぐに背中を向けてしまったせいで、あやふやになりました。

「ごめんなさい、洗い流すあいだだけ、待っていていただけます？」

リビングに入ると美弥子さんは言い、ジョーンズさんは、もちろんですとこたえました。

再び庭――というか、家と塀のあいだ、玉砂利が敷かれ、隅に大葉や茗荷や山椒の植わった狭いスペース――にでた美弥子さんは、大きく息を吸いこみました。

ああ、どきどきした。

ホースを拾い、ガラス戸が閉まっていることを確かめてから、勢いよく水をだします。しぶきが、日ざしを反射させながらとび散ります。

さっきは何ともなかったのに。

美弥子さんは思いました。ジョーンズさんの顔を見たときには、予期せぬ贈り物が届いたみたいでとても嬉しかったわけですし、玄関の前で言葉を交わしたときには、その嬉しさを安心して味わえました。けれど内側から彼を中に入れたとき、突然鼓動が速まり、呼吸が上手くできないような、これ以上ジョーンズさんに近づいたら息が止まってしまうというような、恐怖にも似た感情でいっぱいになったのでした。

こんなの、おかしいわ。

美弥子さんは思います。こわがるなんてどうかしている。蛇口をひねって水を止め、ホースを片づけてしまうと、あとは、日ざしと風が網戸を乾かしてくれるのを待つだけです。ソファに行儀よく坐り、ガラス越しに美弥子さんの動きを目で追っていたジョーンズさんは、部屋に戻ってきた美弥子さんの言葉が、意外だったので返事が数秒遅れました。

「すばらしいお天気だわ」

にっこりして、美弥子さんは言ったのでした。

「フィールドワークに行くっていうのはどうですか」

と、質問ではなく心がすでに決まった人の口調で。

ジョーンズさんにとっては、もちろん願ってもないことでした。以前はとても居心地よく感じたこの広々したリビングに、いつからか、息苦しさのようなものを感じだしていましたし、自分はここに来てはいけないのだという気がし、美弥子さんもおなじように思っていることが、言葉にできない波動によって伝わってもきたからです。

「ええ、もちろん」

ジョーンズさんはこたえます。

「いいですね、フィールドワーク」


一歩おもてにでた途端、二人とも、肩の荷が一気におりた気がしました。どきどきする必要がなくなり、物が、あるがままの形に見えました。家は家に、植物は植物に、ジョーンズさんはジョーンズさんに、美弥子さんは美弥子さんに。

「よかった」

美弥子さんは小さく息を吐き、安堵のあまり正直に呟きました。

「この家のなか、ちょっと空気が薄かったみたい」

ジョーンズさんには、美弥子さんの言う意味がよくわかりました。夏の空は青く高く、お日さまはまだヤギのように白くて、午前中の時間がたっぷり残っていることを教えてくれています。美弥子さんは、濡れた服ではあんまりだと思いましたので、さっきとはべつの、Tシャツとジーンズに着替えていました。丸衿の白いブラウス——胸に青と赤の糸で、控え目なスモック刺繡の入ったもの——を着たい気もしたのですが、それではいそいそとでかけるようで、よくないと思い直したのです。

「時間はどのくらいありますか？」

ジョーンズさんが訊きました。

「ジョーンズさんは？」

美弥子さんは訊き返します。

「僕は幾らでも」

ジョーンズさんはこたえました。勿論、美弥子さんはきょう、和室と二階の寝室の網戸も洗うつもりですし、ジョーンズさんも午後には大学に——試験期間中ですが細々した用事を片づけに——顔をだす予定です。でも二人とも、いまこの瞬間にはそんなことを考えたくはありませんでした。

「まあ。そうなんですか？」

ジョーンズさんのこたえを聞いて、美弥子さんが口にしたのはそれだけですし、

「ええ。このあいだよりもすこし遠くまで、行ってみましょう」

というのが、それに対してジョーンズさんの言ったことでした。

遠くまで。

美弥子さんには、その言葉が特別な響きで聞こえました。特別な、そして自由な響きです。自分の住んでいる小さな街のなかに、確かに「遠く」があることを、美弥子さんはもう知っているのでした。ジョーンズさんと歩くと、何もかもが見慣れないもののように、新鮮に、こわいくらい息づいて見えることも。

けれどこの日、二人のフィールドワークはほんの二十分でした。というのも、歩きだすや否や、どちらも相手の話すことに熱中してしまい、周囲の景色がほとんど目に入らなかったからです。勿論、幾つかのおもしろいものは見ました。雑貨屋の店先で、軒からぶらさげてあるプラスティックのざるを、買いたがっているお客さんと売ろうとする店の人の両方が、どうしてもそのざるを紐からはずせなくて困っている場面とか、ごつごつした桜の幹にはりついているトカゲ、ほんの五センチの深さしか水をはっていない盥《たらい》のなかで、水着にゴーグル、浮輪までつけた重装備で寛いでいる幼児とかです。そういうものの一つ一つが、でも、二人の会話をさらに楽しくする結果になりました。雑貨屋で見た光景が美弥子さんに浅草の花屋——美弥子さんのおじいさんとおばあさんが営んでいた店です——を思いださせ、そこから話題はお墓参りに、さらにはボストンにある墓地に移りましたし、トカゲはジョーンズさんに東南アジアの島々を思いださせ、美弥子さんは彼の語るガムランの響きや、ハロハロという名前のかき氷の味、床にしゃがんで料理をする人々の姿に思いをはせました。

店をあけたばかりの、路面に涼しく打ち水をしてある喫茶店が目についたとき、そこに入ることは、二人のどちらにとっても理にかなった、とても自然なことでした。冷房のきいた店内に腰を落着けて、互いに相手の物語を、声や言葉と一緒にたっぷりと聞き、不思議なことに自分のなかからも物語が、おさえきれない勢いでとびだしてくるのを知るというのは。実際、真夏の日ざしや歴史ある街並や、豊かに茂った木々でさえも、相手の声や言葉や表情ほどに、魅力的ではなかったのです。

「私、幼稚園のときだいだい組だったんです」

美弥子さんは、気がつくとそんなことまで話していました。そんなことまでとはいっても、勿論それは秘密でも何でもありません。これまで誰にも話す機会がなく、誰かに話すことになるとは思ってもみなかったこと、というだけの話です。

「初登園の日、まちがえて黄組の下駄箱に行ってしまって。棚の一つずつに名前のシールが貼ってあるんですけれど、いくら探しても私の名前がない。だって、当然ですよね、私はだいだい組なんだから。でもあのときは、ほんとうに途方に暮れました」

「で、どうしたんですか?」

ジョーンズさんが先を促します。テーブルには、ストローのささったアイスコーヒーが二つ、グラスに水滴をつけてのっています。

「ただ立っていました。廊下に。廊下といっても縁側みたいな造りになっていたんですけど」

「それで？」

「それだけです。他の子供たちはみんな靴をはきかえて教室に入って、誰もいなくなって。それでも立ってたんです。先生が探しに来てくれるまで、ただじっとそこに」

ジョーンズさんは、その話がとても、とても気に入りました。美弥子さんらしいと思ったのです。美弥子さんが話し終っても、感じ入ったようにしばらく黙っていたほどです。

「考えていたんでしょうね」

それからそう言いました。

「動きまわったり泣いたりするかわりに、そこに立って、どうすべきか考えていた。賢い子供だったんですね」

美弥子さんは首を傾げます。それは違う、と思ったからですが、わざわざ訂正はしませんでした。ジョーンズさんに賢い子供だったと言われて、嬉しかったからです。グラスを手にとり、ストローからつめたいコーヒーを啜ります。

ジョーンズさんも子供のころの話をしました。小学生のとき、先生に「ナードくん」と呼ばれていたという話です。ナードというのは日本語だとうらなりとか、ガリ勉とか弱虫とか

ひょろひょろとか神経過敏とか、ともかくあまりいい意味ではない言葉だと説明もしましたので、美弥子さんは小さく息をのみ、

「まあ、ひどい」

と呟きました。そして、それでも小学生のジョーンズさんが目に見えるようで、微笑ましい気持ちもし、

「立派に生きのびられたんですね」

と言いました。ともかくそんなふうにして、二人はきりもなくお喋りに興じたのでした。どちらにとっても、それは驚くべきことでした。あまりにも自然に言葉が口をついてでたことも、それが相手の心に、まっすぐ届いたと感じられたことも。

時計は午後一時六分をさしています。フィールドワークは二十分でしたけれど、喫茶店に二時間もいたことになります。伝票をつかんだのはジョーンズさんでした。美弥子さんは自分に払わせてほしいと申し出ましたが、とりあってもらえませんでした。

「ここ、よくいらっしゃるんですか?」

店をでると、美弥子さんは訊きました。

「いえ、はじめてです」

ジョーンズさんがこたえ、美弥子さんは意外に思いました。その喫茶店は古くからあり、猫のいる店として、地元では有名だったからです。とはいえ美弥子さん自身も、なかに入っ

たのははじめてでした。小さくて薄暗く、いかにも常連客が多そうで、入りにくいと感じていました。実際、店内の装飾も変っていました。縛られた女の人や、血まみれの少女の絵が掛けられていましたし、美弥子さんにはよくわからない、作家の写真や芝居のポスターも貼られていました。普段なら気味わるく思ったはずのそういうものが、でもきょうの美弥子さんにはすこしも恐くなく、それどころか、おもしろいとさえ思えました。ジョーンズさんといると、私は勇敢になるみたい。美弥子さんは思います。

家の前での別れ際も、前回とは違っていました。心臓がへんなふうに暴れたり、家のなかに逃げ込みたいと思ったりしませんでしたから、美弥子さんはジョーンズさんの目を見て、「とてもたのしかったわ」と言うことができました。ジョーンズさんもまた、前回のように突然美弥子さんを奪われるという気はしませんでしたので、「僕もとてもたのしかったですよ」と笑顔でこたえ、落着いて、「次はいつ会えますか」と尋ねることができました。

その夜、美弥子さんは浩さんに、フィールドワークのことを話しました。あまりにもたのしかったので、黙っているのは悪いことに思えたのです。

「フィールドワーク？」

豚の生姜焼きを食べながら、浩さんは訊き返します。生姜焼きにはゴーヤの塩炒めが添えてあり、それは、夏にぴったりだという理由で、美弥子さんの気に入っている組合せでした。

「散歩みたいなもの」

美弥子さんは言いました。

「二度目なの。きょうは途中で喫茶店に入っちゃったからあまり歩かなかったんだけど、でもジョーンズさんといろいろ話せてたのしかったわ。すごくおもしろい人なの」

浩さんのコップが空いたので、美弥子さんはビールを注ぎ足します。

「外国暮しがながいから、いろんなことを知ってるの。たとえばね、フィリピンにはハロハロっていう名前のかき氷があって、でもそれは、もともと日本人が考案したものなんですって。氷の下に果物とかゼリーとかアイスクリームとか、いろんなものが入っていて、ごちゃ混ぜにしてたべるらしいの。どんな味なのか想像できる？」

浩さんの返答は、

「ふうん、散歩か」

でした。それだけでは無愛想すぎると思ったのか、

「代りに英語とか教わったら？」

とつけ足しました。

「代りって、何の代り？」

謝礼代りっていうかさ、と浩さんがこたえましたので、美弥子さんはびっくりしました。

「何の謝礼なの?」

浩さんはこたえません。一瞬ですが、スポーツニュースに気をとられたからです。贔屓のサッカーチームが勝ったことがわかると、「よし」と声をだし、クレソンとマッシュルームのサラダに箸をのばします。

「私とジョーンズさんはお友達なのよ」

美弥子さんは、気分を害してぴしゃりと言い返しました。

「お友達同士で謝礼も何もないでしょう?」

浩さんは、何の話だ? という顔をしましたが、やや間を置いて思いだし、なだめるような口調で、

「そういうのは大事だよ、もちろん」

と言いました。

「俺は美弥子のそういうところが好きだしさ、真美も美弥子を頼りにしてるみたいだし」

真美というのは浩さんの妹さんです。

「でもさ、あんまり甘い顔してると、また徹夜でクッキーとか焼かされる羽目になっちゃうぞ」

美弥子さんには理解できないことでしたが、浩さんが話しているのは、あきらかにもうジョーンズさんのことではないようでした。

おなじころ、ジョーンズさんは馴染のお鮨屋さんのカウンター席で、日本酒をのみながら、前菜《スターター》としてかっぱ巻きをつまんでいました。しっとりした海苔を、ジョーンズさんはほんとうにおいしい食べものだと思います。多くの西洋人がそれに気づかないのは残念なことだ、とも。次はいつ会えますか。昼間、そう訊いたときに美弥子さんが寄越した返答を、ジョーンズさんは午後じゅう何度も反芻してたのしみました。いつでも。美弥子さんはそうこたえたのです。たのしそうに。大学は、もうじき夏休みに入ります。来月には二週間帰国して、家族と過す予定でしたけれど、それまでにできるだけたくさん、美弥子さんに会う心づもりです。

「烏賊《いか》、握ってください」

ジョーンズさんは言いました。

それにしても、きょうの美弥子さんのいきいきしていたこと。まるで東南アジアの植物みたいな生気だったとジョーンズさんは思います。のびやかで、色鮮やかで。ジョーンズさんにとって、女性が自分の隣で幸福そうにしているのを見ることほど嬉しいことはありません。たとえ、その女性が自分のものではないとしても。

「次は、うにを」

その意味でも女性を花や植物に喩えるのは当を得ていると思いながら、ジョーンズさんはお酒を一口のみました。植物は、誰のものでもありません。

遠い昔に、ジョーンズさんのそういう考え方に耐えられず、泣きながらくってかかってきた女性がいたことを、もちろんジョーンズさんは憶えています。最初の奥さんのケイティです。誰のものでもないってことは、みんなのものってことでしょう？　そんなの娼婦と一緒じゃないの。私を娼婦にしたいのッ？　そう言って泣きじゃくったものです。心根のまっすぐな、よく笑う魅力的な女性だったのに、ことその問題となると半狂乱になるのです。度重なる諍いに、ジョーンズさんは疲れ果てました。彼女はたぶん、お前は俺のものだと言ってほしかったのでしょう。お前は俺のものだ、だから誰にも渡さない、と。けれどそんな言葉は、テキサスの男でもない限り、とても口にだせるものではありません。すくなくとも、ジョーンズさんの信じるところではそうでした。「ばかなことを言うなよ」若き日のジョーンズさん（ええ、何しろまだ二十代だったのです）は、彼女にそう言ったものでした。「きみが娼婦なわけがないだろう？　ケイティ、ケイティ、ケイティ、落着いてくれよ」

ジョーンズさんはゆっくりまばたきをして、思い出を追い払います。

「蝦蛄、ありますか」

そしてそう訊きました。いまここに美弥子さんがいて、一緒にお鮨をつまんでいるのならいいのに、と考えながら。

7

美弥子さんには、それはとてもいいアイディアに思えました。遊びに来たジョーンズさんにお茶をだし、バスケットを持ってきてぎくしゃくお喋りをする代りに、思いきって一緒に街を散策するというのは。どぎまぎせずにすみますし、なんといっても戸外の方が、公明正大な気がします。二人が歩くのは御近所なのです。御近所には人目があります。そういう場所を、白昼堂々と歩けるというのは、やましいことのないしるしではないでしょうか。

それに——。

膝にのせた角背の重たい婦人雑誌——自宅から持ってきたものです——をめくりながら、美弥子さんはつい笑みを浮かべます。

それに、ほんのちょっと外にでるのが、こんなにたのしいことだとは思わなかったわ。

まったく驚くべきことでした。ジョーンズさんといると、一日ずつが新しいということや、世のなかにはいろいろな人がいるということ、色が溢れ音が溢れ匂いが溢れていることと、すべて変化するということ、すべての瞬間が唯一無二であること、でも、だからこそ惜しまなくていいこと、などがこわいくらい鮮烈に感じられます。

二人は、何も特別なことをしているわけではありませんでした。観光客向けのガイドブックには載っていて、けれど地元の人々が必ずしも行くわけではない場所——根津教会やお化け階段、富士見坂や浄光寺——にでかけたり、公園で遊ぶ子供たちを眺めたり、甘味屋さんでつめたいお汁粉をたべたりしただけです。図書館に行ったり、おせんべい屋さんで互いに自分の気に入りの一品を——というのは、その店は美弥子さんもジョーンズさんも、以前から贔屓にしている店でしたから——、買って取りかえたりしただけです。ジョーンズさんがいると、そういうありふれたことの一つずつが、俄然特別になるのでした。

だけど——。

雑誌を閉じて立ち上がり、隅に設置してある冷水機から、白い小さい紙コップに水を満たしながら美弥子さんは考えます。

だけど家事が滞らないのはどうしてかしら。

美弥子さんにとって、それは意外——というか、心外——なことでした。家事というのは際限のない仕事です。美弥子さんは怠け者ではありませんから、これまでずっと、二時間——というのが彼ら二人のフィールドワークの平均的所要時間でした——ものあいだ何もせずに過したことはありません。けれど実際、週に一日か二日（先週は三日でしたが）、午前中に二時間ばかり家を空けても、家事は大して滞らないのでした。勿論、そのあいだに宅配便を受けとりそびれたり、集金に来たクリーニング屋さんと入れ違いになってしまったりはします。いずれもささいなことで、午後に十分挽回できます。そして、そういう対人ではない、自分一人でする用事に関しては、挽回の必要さえありませんでした。このあいだなど、ジョーンズさんが迎えに来てくれる前に、美弥子さんは家じゅうのドアを拭き終えていました。真鍮の把手も含めてです。美弥子さんの家には木製のドアが十二――クロゼットの扉を含めれば十八――もあり、板チョコレートに似たその佇いや色調はたしかに美しいのですが、飾り彫りの部分に埃がたまりやすいので、清潔に保つにはしょっちゅう拭かなくてはならないのです（ドアを拭くときにはドア枠も拭くことは、言うまでもありません）。ジョーンズさんの存在が、日々の掃除にまで好影響を与えてくれるのはおもしろいことだわ、と考えながら、美弥子さんは水をのみ干して、紙コップをゴミ箱に捨てました。オレンジ色のラインの入った薄黄色の壁と、思わず目をとじたくなる緑色の床、この病院の待合室の配色を、美弥子さんは毎回「どうかしている」と思います。坐っていた長椅子に戻り、再び雑誌をひらきます。

「ただいま」

お義母さんが診察室からでてきたのは、それからまもなくのことでした。

「お帰りなさい。お医者さまは何て？」

美弥子さんは尋ねます。お義母さんの表情から、嫌なことは何も言われなかったらしいと察しがつきましたので、安心して尋ねられました。

「いつもとおなじ。信用していいんだかどうだかわからなくなっちゃうわね。耳ざわりのいいことばっかり言って」

声を低め、顔をしかめて見せながらも嬉しそうなお義母さんは、腕時計を見て、

「あら存外早かったのね」

と言いました。

「でもまあいいわ。お店の予約は一時だけれど、すこしくらい早くても入れてくれるでしょ」

病院のあとは懐石料理と決まっています。お義母さんは、病院とおなじ新宿にある和食屋さんの、「友の会」の会員なのです。それであの病院にしたんだと思うよ。いつだったか浩さんは言っていました。まさか。美弥子さんは一笑に付したものですが、最近では、もしかしたらほんとうにそうかもしれないとも思います。

美弥子さんとお義母さんは、薬局に寄って処方薬を受けとってから、お昼をたべに行きました。駐車場に車を入れて、エレベーターでまっすぐ最上階へ。そこでは、料理のほかに窓からの眺めも、たのしめるのでした。


ジョーンズさんのお昼はピザでした。友人でもある英文科の教授――ジョーンズさんがこの女子大に職を得られたのは、この人のおかげです――の研究室で、宅配のピザをとったのです。山口先生――というのがこの教授の名前でした――は日本人ですが、アメリカ生活が

ながく、ジョーンズさんの考えでは、すこしアメリカかぶれでした。学生のいない場所では自分を「ナオ」と呼ばせたがりますし、日本の政治のことよりもアメリカの政治のことを、好んで話題にします。すこぶるつきに人が好いので憎めない男ではあるのですが、この人の率直さや必要以上に親しげなふるまい、机の上に、家族写真のみならずミニチュアのアメリカ国旗まで、飾ってしまう臆面のなさがジョーンズさんは苦手でした。

「来週、もう一日だけ頼めないかな」

山口先生は言い、ピザからたれたまま固まったチーズを、器用に口で掬い取ります。午前中、ジョーンズさんはある先生の代理で、授業を一つしたのでした。

「まあ、あと一日くらいなら」

ジョーンズさんは承諾し、二切れ目のピザを手にとりました。去年まで、この女子大の夏期集中講座の講師陣に、ジョーンズさんも名を連ねていました。今年それを辞退したのは――勿論「ナオ」に言うつもりはありませんでしたが――美弥子さんに会いたいがためです。ジョーンズさんのなかには、自分と彼女がこの上もなく素晴らしい関係を築ける――というか、すでに築き始めている――という確信がありました。ただ一つの問題は彼女が人妻だということで、それは、会える時間が非常に限られていることを意味します。これまでに幾つかの恋愛に身を焦がしてきたジョーンズさんですが、人妻と交際するのははじめてのことでした。

「よかった！」

山口先生は、心からの笑顔で言いました。

「それからもう一つ、『マーク・トウェインを読む』の方だけどね」

ジョーンズさんは、即座に相手に手のひらを向け、ノー、ときっぱり言いました。

「そっちはやりませんよ。べつな人をあたってください」

美弥子さんと過す時間は、この夏のジョーンズさんにとって何物にも代え難いものでしたから、これ以上仕事に侵食させるわけにはいきません。

オーケイ。呟いて、山口先生はひきさがりました。ピザの箱をつぶしてゴミ箱に入れ、消音にしてつけているテレビの大リーグ中継に、ちらりと目をやります。

ほんとうに、朝のあのひととき――訪ねるのは決まって午前十時で、それは、美弥子さんがその時間がいちばん都合がいいと言ったからでした――は、ジョーンズさんの気持ちを、生れたての子供のそれ――勿論大人の妄想するそれで、生れたての子供がどんな気持ちでいるのかは、誰にもわからないわけですが――のように高揚させます。あまりにも瑞々しい気持ちが湧きでるので、ときとして、自分の武骨な手足を持て余してしまうほどでした。ジョーンズさんとしては、毎日でも訪ねたいところでしたが、節度が大切だと思いましたので、週に二度くらいにとどめているのでした。

「ちょっと待ってくださいね」

インターフォンごしに、ジョーンズさんは言われます。玄関を見上げて立っていると、じきにドアがあき、小鳥のように、美弥子さんがとびだしてくるのです。

「小学生になったみたい」

そんなふうに言いながら。


「ピザ、ごちそうさま」

ジョーンズさんは言いました。窓の外は曇り空で、いかにも女子大らしい、花壇と白亜の旧校舎が見えます。

「じゃあ、来週、もう一日頼むね」

山口先生は言い、ジョーンズさんの肩にずしりと手をのせましたので、ジョーンズさんは、シャツにピザの脂がつきはしないかと気になりました。去り際にテレビに目をやると、レッドソックスがヤンキースに三対二で勝っていました。熱狂的ヤンキースファンの山口先生と違って、そもそも野球に関心の薄いジョーンズさんではありましたけれど、それでも少年の日々をボストンで過した者として、唇の端に短く笑みを浮かべてしまったのは仕方のないことでした。

ところで、ジョーンズさんはこの日、美弥子さんではない女性と会う約束をしていました。待ち合せ場所は表参道で、そこにはその女性の気に入りのビストロがあるのです。関係は、もう二年続いています。といっても、会うのは三か月に一度程度で、彼女が会いたいと言ってきた場合に限られていました。かつての教え子であるその女性は、ジョーンズさんを自分の相談相手と考えているようでした。仕事のこと、将来のこと、愛し合っているのだかいないのだかよくわからない——とジョーンズさんには思える——ボーイフレンドのことなどを、最初はためらいがちに、けれどじきに熱っぽく、ワインに潤んだ目をして話します。大学を卒業し、新しい世界にとび込んだ彼女が、何かを学んだり人と出会ったり、失敗したりその失敗から立ち直ったりする様子を見ることは、ジョーンズさんにとっても楽しいことでした。学生時代には喫わなかった煙草を覚え、きらきらと先だけ銀色にしたり、色石で飾ったりしたきれいな爪の、細い指でぎこちなくそれをはさむ様子や、爪とおなじようにきらきらと装飾を施した、携帯電話の異様な佇いに見とれることも。

けれど勿論、ジョーンズさんは自分とその女性が、わかり合えると思ったことは一度もありませんでした。ジョーンズさんにとって彼女は、その成長を、まぶしく見守るための存在でした。

かつて恵比寿に住んだことがあり、その前にはごく短期間ながら大岡山の知人の家に下宿していた経験もあるジョーンズさんですが、いまのアパートに越してからというもの、そっちの方にはまるで行かなくなりました。表参道とか麻布十番とか、日本に住み始めたばかりのころによく歩いたエリアにでかけるのは、今夜会う彼女のような、元の教え子たちとの約束があるときだけです。

七時に会って、いつものビストロで食事をし、場所を変えてお酒を一杯か二杯、そのあと彼女のマンションで、始発電車の時間まで過す予定です。彼女にはボーイフレンドがいるのですが、ジョーンズさんとの情事も気に入ってくれているようでした。ジョーンズさんは、自分の裸体が女性のそれとからまりあい、肌と肌がすいつくように密着し、けれどふいにべつべつの個体であることが認識され、わずかに安堵を覚えつつもそのことに耐えられない気持ちも湧き、猛然と突進したあげく空っぽになることが好きでしたから、それはそれで結構なことだと思っています。そして、でも、今夜するはずのそれらすべてのことどもを、もし美弥子さんとできたらどんなに嬉しいだろうかと、考えずにはいられないのでした。

8

美弥子さんは、自分がこんなにお喋りだということも、笑い上戸だということも知りませんでした。さらに言えば、炎天下をいくら歩いても疲れない、立派な体力の持ち主だということも（ただし、蚊にさされることにだけは閉口しましたから、虫さされの薬を持ち歩くようにしました）。

朝から騒々しくセミが鳴き、ただでさえ高い空気の温度を、さらに上げているような日でした。美弥子さんとジョーンズさんはいつものように散歩をし、たぬき坂まで足をのばして、昔の財閥が住んでいたという豪邸や、何とかという女性作家——美弥子さんには馴染のない名前でしたが、ジョーンズさんはいい作家だと言っていました——が、少女の頃に家族と住んでいた家、などを外から眺めました。そのあいだもひっきりなしに笑ったり喋ったりしていましたし、話題はおねしょの思い出から映画の「レベッカ」(それは、豪邸というものがなんとなくおそろしい、と美弥子さんが言ったことから端を発したものでした)、テレビ・シリーズの「刑事コロンボ」、シンガポールに住むジョーンズさんのお友達、新婚旅行先のシンガポールで離婚を決めた美弥子さんのお友達、と、多岐にわたりました。須藤公園の木陰にたどりついたときには、二人ともすっかり愉快な気持ちになっていて、つい手をつないでしまったほどでした。

ほんとうに不思議だわ。

ジョーンズさんの手の、乾いた温かさを感じながら美弥子さんは思います。もう十数年も、ひろちゃん以外の男の人と手をつないだことなんてなかったのに、昔からつなぎ慣れていたみたいに安心な気持ちだ、と。それは、まったく不思議としか言いようのないことでした。かわいらしい赤ちゃんを見たら知らず知らず微笑んでしまう、日ざしがまぶしければ目を細める、まるでそんな自然さで、互いに手をつなぎ合ったということは。

池の面を弱い風が渡ってきます。美弥子さんは、自分の額が汗ばんでいることに気づきました。気温は三十度を越えているはずです。

「この池には亀がいるんですよ」

ジョーンズさんが言いました。手はまだつながれたままです。

「亀?」

美弥子さんは目をこらしましたが、水は底の土を映して黒々と揺れているばかりです。

「ええ。かなり大きいのもいるんですが、きょうは見えませんね」

ジョーンズさんは言い、つないでいた手をはなして、乱れた前髪を両手でかきあげます。紺色のポロシャツの、袖からのびた長い腕を、美弥子さんはきれいだと思いました。そのときジョーンズさんの口からでた言葉は、美弥子さんを驚かせるのに十分でした。

「銭湯に行きませんか」

ジョーンズさんはそう言ったのでした。

「とてもいいですよ、真昼の銭湯」

と、まるで缶コーラでも勧めるみたいな気軽さで。

お風呂の道具も着替えも持っていなかったのに、なぜ行くとこたえたのか、あとで考えても美弥子さん自身、上手く説明できないことではあったのですが、でも、何の用意もなかったからこそ、行ってみたいと思ったことは確かです。自分がいま、特別な時間のなかにいると感じていましたし、すこしでも躊躇《ちゅうちょ》すれば、その特別さが歪んでしまう気がしました。銭湯、という言葉は美弥子さんにとって、遊園地、とか、動物園、とかとおなじくらい突飛な言葉でしたし、ジョーンズさんといるとき、突飛は愉快と同義語でした。

「信じられないわ」

歩きながら、美弥子さんは言いました。

「銭湯に行こうとしてるなんて信じられない」

わくわくしているような声でした。はしゃがないとこわさに負けてしまいそうだったのですが、銭湯の一体何がこわいのか、美弥子さんにはわかりませんでした。ジョーンズさんは、笑います。

「そんなに珍しいですか、銭湯」

ジョーンズさんの行きつけだというそこは、公園からほど近い場所にありました。

「ええ。結婚するまでずっと実家住いでしたし、狭くてもお風呂はある家でしたから」

それでも、一度そのお風呂が壊れたことがあり——美弥子さんが小学校三年生のときです——、直るまで、何日か銭湯を利用しました。お父さんに連れられて行ったので、女湯には一人で入り、お母さん以外の大人の女性の裸体を、はじめて見てひるんだこと、脱衣所に巨大な体重計があったこと、お風呂上りに買ってもらった壜《びん》入りのりんごジュースを、のみながら帰ったことを憶えています。

「ここです。裏にコインランドリーもあるんですよ」

ジョーンズさんは言い、慣れた様子で、先に立って中に入りました。靴を脱いで下駄箱に入れます。ロビーは寒いほど空調がきいており、板ばりの床はぴかぴかに磨き上げられています。

美弥子さんの目に、そこは病院の待合室のように映りました。記憶のなかの銭湯とは全然違っています。第一、番台がありません。かわりにフロントがあり、でもそれはフロントというより、病院で処方箋を受けとる窓口に似ているのでした。

「料金は四百五十円です。サウナは別料金ですが、入りたいですか?」

ジョーンズさんに尋ねられ、美弥子さんは首を横に振りました。男湯に続く通路には赤い暖簾《のれん》が、女湯に続く通路にはオレンジ色の暖簾がかかっています。革張りの長椅子が二つ、マッサージチェアが一つ。美弥子さんがぼんやりそれらを観察しているうちに、二人分の料金を払ったらしいジョーンズさんが、ロッカーの鍵と、タオルや石けんの入ったビニール袋を持って戻ってきました。

「ゆっくり入ってください。僕はカラスの行水ですが、ここで涼みながら待ってますから」

美弥子さんは、私もそんなに長居をするつもりはありません、と言いかけて口をつぐみました。そんなことを言っても意味がないと思ったからですし、ジョーンズさんが、すでに赤い暖簾をくぐってもいたからです。

時間が早いせいか、脱衣所にも女湯にも、他に人はいませんでした。事のなりゆきと、現にこうして見知らぬ場所にいる自分に対する驚きで、美弥子さんは茫然《ぼうぜん》としながら緩慢な動作で服を脱ぎました。けれど夢を見ているようなその心許なさは、同時に突然の興趣《きょうしゅ》をかきたてるものでもありました。突然の興趣と、非現実的であるが故の身軽さを。

お風呂場はそう広くありませんでしたが、壁も床もタイル貼りで、真白な目地が、いかにも清潔そうでした。長方形の湯船は三つに区切られていて、まんなかのそれはジャグジーです。書き割りもタイルでできていて、あかるい青空を背景に、湖に浮かぶ西洋風のお城と森が描かれています。他に誰もいないということが、美弥子さんをとても自由で贅沢な気持ちにさせました。ぽか、という、タイルにプラスティックの椅子を置いたときの音も、心愉しく聞こえます。たっぷりのお湯と湯気の、いい匂いがします。

勿論、美弥子さんは長居はしませんでした。せいぜい十五分。お風呂場にいた時間はそんなものです。そしてそれでも、汗をかいた身体をさっぱりと洗い流し、三つに区切られた湯船を三つとも、試すのには十分でした。

ジョーンズさんは、ロビーの長椅子に坐っていました。いかにもお風呂上りの顔色です。

「ごめんなさい、お待たせしちゃいましたね」

美弥子さんは言いましたが、

「いいえ、僕もいまでたところです。美弥子さんもカラスの行水なんですね」

と言ったジョーンズさんの表情が意外の念に満ちていましたので、美弥子さんには、自分が相手をほとんど待たせずにすんだことがわかりました。

「気持ちがよかったわ」

そして心からそう言いました。

「銭湯って贅沢なのね」

おもては真昼の日が照りつけて、埃っぽい、むっとするような匂いでした。けれどそれがかえって、自分たちの肌から立ちのぼる石けんの匂いを、際立たせているように美弥子さんには思えました。足どりまで、さっきまでより軽く感じられます。

「銭湯」

美弥子さんは可笑しそうに呟いて首を振ります。実際にそこに行ったあとでさえ、そんなところに行ったことが信じられないとでも言うように。

「ここが僕のアパートです」

ジョーンズさんが言いました。二人は、銭湯から美弥子さんの家に向う、いちばん近い道を歩いていたのですが、それはたまたまジョーンズさんのアパートの建っている道でもあったのです。

「まあ」

美弥子さんは立ちどまり、その木造家屋と、脇についた鉄製の階段を見上げました。

「二階の、左側です」

ジョーンズさんが説明します。

「隣に住んでいるのは若い男の子で、職業は美容師らしい。階下《した》は大家さんの家です。夫婦と、おばあちゃんです」

「まあ」

美弥子さんはもう一度言いました。他に、何と言っていいかわからなかったからです。

「寄っていきませんか？　麦茶くらいしかだせませんけれど」

ジョーンズさんの部屋を見たい、という気持ちは、思いがけず強いものでした。美弥子さんにとって、ジョーンズさんはこれまで、生活の匂いを感じさせない人でした。大学の先生であることは知っていますし、近所に住んでいることも、アメリカに家族がいることも知っています。でも、それらは美弥子さんとはあまり関係のないこと、というより、美弥子さんの知っているジョーンズさん——「ナードくん」と呼ばれた少年、東南アジアの国々で、夕方の子供たちを眺めていた青年——とは関係のないことのように感じていました。どこか空疎なこと、現実じゃないことのように。

「ありがとうございます」

アパートの左側のドア——圧倒的に現実です——から目をそらすことができないまま、美弥子さんは言いました。

「でももう帰らなくちゃ」

ジョーンズさんが返事をするまでに、中途半端な間ができました。そのことに気づく程度にはながく、気づまりにならないくらいには短い間だったという意味です。

「わかりました。ではまた今度」

笑みを含んだその声は、美弥子さんをたちまち安心させました。よかった、気を悪くはしなかったみたい。そう思ったのです。

「でもせめて送らせてください。しばらくお会いできないから」

ジョーンズさんの言葉に、美弥子さんは自分のちっぽけな心臓を、誰かにいきなりつかまれたような気がしました。


浩さんが帰ったとき、美弥子さんが考えていたのはジョーンズさんのことでした。

しばらくお会いできないから。

そう言われたときの驚き——冷水を浴びせられたような、というのはまさにあのことだわ、と、美弥子さんは思います——と、口にはださずに済んだものの、咄嗟《とっさ》に頭に浮かんだ言葉——「そんな」「困ります」「どういうこと?」——を考えあわせると、自分がほんとうに動揺したことがわかります。もっとも、「しばらく」というのがたった二週間で、ジョーンズさんは引越すわけでもいなくなるわけでもなくて、単に夏休みの里帰りをするだけだ、とすぐにわかりましたので、美弥子さんはとり乱すことなく「それは素敵ですね」と言うことができましたし、別れ際には、「じゃあ、お気をつけて、よい御旅行を」と、礼儀に適った挨拶をすることもできました。

でも――。

ソファに腰をおろし、数日前に図書館から借りた本――「季寄せ（夏）」の上巻――をぱらぱらとめくりながら、美弥子さんは考えます。でも、会えなくなると言われた瞬間の驚きというか衝撃は予想もしないものだったわ。まるで――。頁をめくる手を止めて、ふさわしい喩《たと》えを探します。まるで、殴られたような？（全然違うわ）高いところから突き落されたような？（それじゃ大袈裟すぎる）何だろう、まるで――。浩さんが部屋に入ってきたのはそのときでした。

「ただいま。暑いー」

語尾をのばして、浩さんは言いました。リモコンをとってまずテレビをつけ、靴下を脱ぎます。

「おかえりなさい」

美弥子さんは言い、本を閉じて立ち上がると、ついさっき妹さんから電話があったことを、浩さんに伝えました。

「帰ったらかけ直してほしいって。旅行のことですって」

夏休みに、美弥子さんと浩さんは、浩さんの妹さんの一家と一緒に長野県の黒姫に行くことになっています。そこには、浩さんの両親の所有する別荘があるのです。

「真美から？」

浩さんは言い、ポケットから携帯電話をだして、充電器の上に置きました。

「何だろうな。美弥子じゃなく俺に用事だって言ったの？」

続いてべつのポケットからハンカチもだし、脱いだ靴下の上に落とします。そうしながらも片手でリモコンを操り、テレビのチャンネルを変えていきます。

「ええ、かけ直してほしいって。旅行のことだって言ってたわ」

わかった、とこたえて、浩さんは着替えをしに、階段を駆けあがっていきました。わかった、と、その音を聞きながら美弥子さんも思いました。あれ――というのは勿論、ジョーンズさんにしばらく会えないと言われたときの気持ちのことですが――は、まるでいきなり梯子を外されたような驚きだった。のぼろうとした途端に。

ぴったりの比喩が見つかって満足し、美弥子さんは微笑みます。靴下とハンカチを拾って、しかるべき場所に片づけました。

二階で妹さんに電話をかけてきたらしい浩さんは、戻ってきて、

「旅行のことだった」

と言いました。

「私、さっきそう言ったでしょう?」

昆布で〆ておいた平目を切りながら、美弥子さんはこたえます。きつめに〆た平目はお茶漬にしてもおいしいので、たっぷりつくりました。

「でるのが午後になるから、向うに着くのは夜になるって」

浩さんは構わず話し続けます。

「それで翌日はダンナをゆっくり休ませたいから、ゴルフ場の予約を三日目に変更してほしいっていうんだけどさ」

「変更してあげれば?」

美弥子さんは言いました。平目と、海藻サラダをテーブルに置き、天ぷらを揚げにかかります。浩さんはじっとしていることが苦手です。それで三日目にも何かべつな活動を予定していたに違いない、と美弥子さんにはわかりましたが、人にはそれぞれ事情がありますから仕方ありません。

「きょうね、ジョーンズさんと銭湯に行ったのよ」

夕立にも似た油の音と同時に、美弥子さんは言いました。話題を変えたかったせいもありますし、報告する必要を、午後じゅうずっと感じていたせいでもありました。

「銭湯?」

浩さんは訊き返し、何でまた、と呟いてから、平目を一切れ口に入れます。

「旨いね、これ」

「よかった」

美弥子さんは言い、思いだすままに銭湯を描写しました。空いていたこと、清潔だったこと、子供のころの印象とは違っていたこと。

「ふうん」

というのが浩さんの返答でした。

「ふうん、そういうの、外人は好きそうだな」

美弥子さんはすこし考えて、

「私もたのしかったわ」

と言いました。そのあいだにも、天ぷらは次々揚がっていきます。海老、なす、オクラ、烏賊、茗荷、にんじんのかき揚げ。

「よかったじゃん」

浩さんは言い、一つ揚がるごとにお皿にのせられるそれらを、天つゆにつけて口に運びます。かぼちゃ、蓮根、もう一度海老と烏賊。

美弥子さんにとって、浩さんに話すのは大切なことでした。私って報告魔だわ。美弥子さんは思います。入浴料が四百五十円だったこと、書き割りが洋風の絵だったこと。細かく話せば話すほど安心な気持ちになりました。それは、昼間の自分が、夜になって浩さんに見守られている感じなのでした。

9

たった二週間、と思った美弥子さんでしたが、それは随分ながい時間でした。朝起きて、掃除をしていようとアイロンをかけていようとピクルスを漬けていようと、いつのまにか午前十時を意識しているのでした。誰も来ないことがわかっているのに、です。あと一時間だわ。たとえば美弥子さんはそう思います。あと一時間で、何と何ができるかしら、と。あ、十時だ。そして、十時になると、意味もなくそう思うのでした。

勿論、美弥子さんは普段とすこしも変りなく、勤勉に暮していました。

「休みのときくらい、もっとゆっくり寝ればいいのに」

会社に行かずに済む浩さんに、ベッドのなかから眠たげな声で言われても、美弥子さんは寝坊というものが、どうしてもできないのでした。日が高くなってしまえば、暑すぎて玄関の前を掃くのが嫌になりますし、万一ゴミをだしそびれたりすれば、自分がだらしのない主婦だという思いに、一日じゅう苛《さいな》まれることになります。それで、

「ひろちゃんはまだ寝ていて」

と言い置いて、いつもより多少遅いとしても七時には、起きてコーヒーをいれるのでした。いつ誰に見られても恥かしくないように、「きちんと」暮すことが美弥子さんの信条ですし、この夏の美弥子さんにとって、その誰かの目は、神さまと仏さま、御先祖さま、そしてジョーンズさんの、目なのでした。実際、美弥子さんはそのことに、自分でも気づかざるを得ませんでした。返事を期待していないことを、何か浩さんに言うとき――「見て、細い三日月」とか、「きょうもいいお天気よ」とか――、声は浩さんに向けて発せられていても、中身はジョーンズさんに話しかけているのだということにも。

黒姫旅行が、ジョーンズさんの帰郷とおなじ時期だったのは、偶然とはいえ喜ばしいことでした。もし時期がずれていれば、会えない時間がながくなってしまいます。そんなことになれば、せっかくの旅もたのしめなくなったかもしれません。

とはいえ、結局のところ旅はたのしいものでした。四泊五日で、山の空気はすでにどこか秋めいて涼しく、野の草花が咲いたまま乾いて風に揺れていました。妹さん夫妻には十歳の息子と五歳の娘がいて、美弥子さんは子供のいる生活の一端に触れ、驚かされたり笑わされたりしました（五歳の露香《つゆか》ちゃんも十歳の秀人《しゅうと》くんも、とてもよく喋る、素直で利発な子供たちです）。浩さんが妹さんの御主人とゴルフやテニスに興じているあいだ、美弥子さんは浩さんの妹の真美さんと心ゆくまでおしゃべりすることができましたし、露香ちゃんと折り紙を折ったり、ぬり絵をしたりもしました。秀人くんの小学校の「自由研究」のために、

「林歩き」につきあったりもしました。庭で火を熾してトウモロコシを焼いたり、とん汁をつくったりもしましたし、夜は大人だけでベランダに椅子をならべ、お酒をのみながら、降るような星空を眺めました。別荘には管理人さんがいるのですが、その管理人さんの奥さんが、手作りのハムをさし入れてくれました。

そんなふうにして、夫婦二人の、短い夏休みは過ぎていきました。ジョーンズさんの不在がほんとうにながく感じられたのは、けれどそのあとのことでした。というのも、二週間というのはジョーンズさんの旅の期間で、その旅が具体的にいつからなのか、また、東京に戻ってどのくらい経ってから、自分を訪ねてくれるつもりなのか、美弥子さんにはわからなかったからです。

九月の二週目の水曜日、午前十時に呼び鈴が鳴ったとき、美弥子さんは、ジョーンズさんに会う心の準備がすっかりできていました(前日にも、そのさらに前日にも、すっかりできていたのです)。すくなくとも、美弥子さん本人はそう思っていました。ジョーンズさんに会ったらあれも話そう、これも話そう、そんなふうに考えていました(黒姫で撮った写真も、見せたいと思っていました)。

ところが、ドアをあけた途端に、そんな準備は何の役にも立たない——あるいは、準備など最初からできていなかった——ことがあきらかになりました。階段の下に、長身痩軀《ちょうしんそうく》、立体生身のジョーンズさんが立っています。美弥子さんは、動くことはおろか、息をすることさえ忘れそうになりました。美弥子さん自身があとから考えた言葉を借りるなら、それは望外の喜びでした。嬉しすぎて、目の前にあるものがにわかには信じられず、どうしていいのかわからないのでした。

黙って見つめ合う恰好になりました。空は青く、気温は高く、塀にぶらさげた、特別誂《あつらえ》のプランターのなかでは、葉だけになった雪柳が、容赦なく照りつける日光にあぶられています。

「おかえりなさい」

やっとのことで、美弥子さんは言葉を発し、ぎこちなく微笑みました。

「ただいま」

ジョーンズさんの声には、美弥子さんが感じているのとおなじ緊張と嬉しさが、おさえようもなく溢れていました。

ジョーンズさんは門をあけました。階段をおりてくる美弥子さんを抱きしめるのは、とても自然なことでした。美弥子さんの肌はびっくりするほどつめたく、それはついさっきまで冷房のきいた室内にいたからですが、ジョーンズさんには、そのつめたさが美弥子さんの生命の清潔さであるように思えました。

抱擁をほどくと、ジョーンズさんは美弥子さんの手をとって、門の外にでました。九月とはいえ、アスファルトの路面が溶けだしそうな暑さです。ふと顔を上げると、向いの家のベランダに、スクール水着が干してあるのが目に入りました。

美弥子さんがくすくす笑っていることに、ジョーンズさんは気がつきました。うつむいて、かと思うと空を仰いで。どうしたんですか、と、でもジョーンズさんは訊きませんでした。人は、面白可笑しいときだけじゃなく、嬉しいときにも笑うものだと知っていたからです。ジョーンズさん自身、喉元までこみあげてくるまるい笑い声を、なんとかおさえこんでいるありさまでした。

二人はほんのすこし走りさえしました。じっとしていられなかったのです。こうしてまた会えたこと、特別な時間が突然戻ってきたことに、自分たちではなく自分たちの細胞の一つ一つが、快哉を叫んでいるかのようでした。「無用者無断出入厳禁」のプレートのある家の前を通りすぎ、立派な松の木のある家の前も通りすぎます。日陰に寝そべっていた猫が、不審そうに顔を上げて二人を見ます。

「それで、お里帰りは如何でしたか？」

喫茶店に腰を落着けると、美弥子さんは訊きました。会えずにいたあいだにジョーンズさんの身に起こったことは、何でも聞きたい気持ちでした。小さなテーブルにはアイスコーヒーが二つのっています。

「ええ、まあ、たのしかったですよ」

ジョーンズさんは言いました。離婚の話し合いが難航し、奥さんのリンダに対してずっと腹を立てどおしの旅だったのですが、そんな不愉快な話を、美弥子さんに聞かせるつもりはありませんでした。

「ボストンで会ったんです。僕は日本から、妻と娘はテキサスから、息子はいまフロリダで学生をしているんですが、フロリダから、そこに集合して」

「まあ」

美弥子さんは目を輝やかせます。「そこ」がジョーンズさんの生れ故郷だと知っていましたし、彼がその土地に愛着を感じていることも知っていました。そういう土地に、一家がひさしぶりに勢揃いするなんて素敵なことです。家族と離れて長年外国に一人で暮しているというのは、美弥子さんには考えられないほど孤独なことです。再会は、どんなにか嬉しかったことでしょう。再び別れるときにはどんなにか淋しかったことでしょう。仮に何らかの軋《あつ》轢《れき》があったとしても、これだけの時間が経ったあとで、家族に残るのは互いを大切に思う気持ちだけだろうと、美弥子さんは想像します。

ジョーンズさんは美弥子さんに、ボストンの港の話をしました。夕暮れに、街灯や周辺の窓々に灯りがともり、係留してあるヨットが揺れて、ロープがマストにぶつかるやさしい音がしたこと、倉庫を改造したステーキ・ハウスで、家族四人で食事をしたこと。

かつて住んでいた家の界隈を、昼間に一人で歩いてみたことや、子供たちだけを連れて（奥さんは、頭痛がするといってホテルの部屋に残っていました）、芝居を観に行ったことも話しました。旧い友人の家に、食事に招かれたことも。

美弥子さんが聞いた限りでは、それは素晴らしい旅だったようでした。美しい（に違いない）妻と、すっかり大きくなった子供たち。

「美弥子さんは？　どうしていましたか」

ジョーンズさんに尋ねられ、美弥子さんは黒姫の旅の話をしました。秀人くんと露香ちゃんのこと、その別荘が浩さんの両親の持ち物で、だから浩さんと真美さんにとっては、子供のころからたくさんの時間を過した、思い出深い場所であることも話しました。けれどそうしながらも、ほんとうに話したかったことはそれではない、という気持ちがして、美弥子さんは困惑します。たとえば自宅の寝室で、ベッドにシーツを掛け替えながら、ふいに、もしこのままジョーンズさんに会えなくなったらどうしよう、と考えて不安になったこと（あのときのシーツの、麻特有のざらりとした手触り）。たとえば夕食のための買物にでて、それはいつもと変らない、賑やかで人通りの多い商店街だったにも拘らず、ジョーンズさんのいない街は空虚だ、ととてもはっきり感じたこと。たとえば黒姫の別荘のベランダで、星を見ながらジョーンズさんがここにいたらと考えたこと（夫や義妹夫妻とのたあいないお喋り、自分もそこにいるのに、いないような気がしたこと）。たとえば雨を見て、猫を見て、やかんを見てさえもジョーンズさんを思いだしたこと。

けれどそれらは、言葉にされることを拒絶しているかのようで、胸の奥で不穏にざわめくばかりで、頑として外にでようとしないのでした。

「あ。『季寄せ』を三冊読みました」

美弥子さんは、思いついて言いました。その本をすすめてくれたのはジョーンズさんでしたし、図書館に、最初に連れて行ってくれたのもジョーンズさんでしたから。

「それはよかった」

ジョーンズさんは、嬉しそうに言いました。

「どうでしたか？」

「おもしろかったわ」

美弥子さんはこたえます。

「写真がきれいだったし、添えられた俳句もヴァラエティに富んでいて」

それからすこし考えて、

「読んでいるあいだ、いろんなことを思いだしました」

と、つけたしました。いろんなこと、というのは勿論ジョーンズさんのことです。

「それはよかった。あれはとてもいい本ですよ。よく編集されている」

ジョーンズさんは言い、

「もっとも」

と、語を継ぎました。

「もっとも、僕が始終あなたを思いだすのに、『季寄せ』は必要ありませんでしたけれど」

それで、美弥子さんには自分の言おうとしたことが、ジョーンズさんに伝わったことがわかりました。

この日、二人はどちらものみものをおかわりしました（二度目の注文は、ジョーンズさんがアイスココア、美弥子さんがレモンティでした）。話題は俳句の季語から学生のレポート、美弥子さんの学生時代の恩師、ジョーンズさんの同僚（なかでもユニークな「ナオ」）、と移り変っていきましたが、二人のうちどちらにとっても、話の中身は問題ではありませんでした。会いたかった人が、いま目の前に確かにいる。大切なのはそれだけでした。事実、美弥子さんは何度もそれを確かめました。どうやってかというと、まずジョーンズさん以外のものをじっと見て——自分の手とか、カウンターの上のサイフォンとか、壁の絵とか、スツールの上の黒猫とかです——、それから視線をジョーンズさんに戻すのです。すこし日に灼けた、健康そうな、モスグリンのポロシャツを着た、髪の豊かな、いい匂いのジョーンズさんに。「いた」何度でも、美弥子さんは嬉しくそう思います。

特別な時間が、戻ってきたのです。

10

勿論、夏休みほど頻繁にというわけにはいきませんでしたけれど、すくなくとも週に一度、二人は会うことができました。たいていは朝でしたが、たまに午後のこともあり、それはおもにジョーンズさんの仕事の都合によりました。週に三日しか開かないベーグル屋さんでベーグルを買って食べたり、コミュニティ・センターで落語の高座をすこしだけ聞いたり、天心公園で、たまたま練習していた若者のパントマイムを眺めたりしました。二度目の銭湯——美弥子さんはとても気に入りましたから——にも行きましたし、ジョーンズさんのアパートのすぐそばの、「お墓のなかを抜ける道」を歩いたりもしました。何もかも単純にたのしく、輝やかしく、お互いに相手といると、自分がとても身軽に、いっそ子供になったように、感じるのでした。

九月が過ぎ、十月になり、その十月も終ろうとしていました。

美弥子さんは、決して長電話が好きなわけではありません（お友達みんなが長電話病にかかっていた、中学生のころでさえそうでした）。けれど、どういうわけか美弥子さんの知り合いには、美弥子さんに電話で話すべきことが、きりもなくたくさんあるようなのでした。

そういうわけで、夕方から雨の降り始めたこの日、浩さんが会社から帰ると、美弥子さんは長電話の最中でした。相手は近所の奥さんで、新しく越してきた中山さん——というのはまだ美弥子さんの知らない人でしたが——のお宅に招ばれたので、一緒に行こうというお誘いでした。それだけなら三分で済む用事ですが、済まないところが電話の不思議なところなのです。昼間彼女が銀行で遭遇した出来事や、バスの時間の不確かさ、運転手さんの質、小学生に携帯電話を持たせることの是非まで、その奥さんはのんびりと、やや舌足らずで子供じみた声と口調で、美弥子さんに所感を述べ続けるのでした。

おかえりなさい。

美弥子さんは、声にださず口の動きだけで浩さんに伝えました。夕食のしたくはほぼととのっていて、鯛のあらで出汁《だし》をとったおすましと、しいたけと一緒に煮含めた高野豆腐、オーヴンのなかのミートローフ、炊きあがったごはんの匂いが、賑やかに立ちこめています。あとは胡瓜を切ってサラダにするだけです。

「ええ……ええ……ほんとうにね、うちは子供がいないから実感としてわからないけれど、でもそれはそうだと思うわ」

相槌を打ちながら、美弥子さんは、浩さんの様子が変なことに気がつきました。居間の入口に立ったまま、微動だにせず美弥子さんを見つめています。ただいまも言わず、靴下も脱がず、テレビもつけないのです。

どうしたの？

表情だけで問いかけましたが、浩さんは無言のままです。

「じゃあ日にちが決まったらまた連絡してくださる？　できるだけうかがうようにしますから」

美弥子さんは、何とか電話を切りました（長電話も苦手ですが、電話を切ることもまた苦手なのです）。

「どうしたの？」

そして、今度は声にだして訊きました。浩さんはまだ鞄を持ったまま、美弥子さんがこれまでに見たことのない、暗い険しい表情でじっと睨みつけてきます。

「なあに？　ひろちゃん恐いわ」

「何してるんだ？」

浩さんは言いました。

「一体何してるんだよ」

一度目のそれはぞっとするほど低く不穏な声で、二度目のそれは、ぎょっとするほど激昂した声で。鞄をどさりと床に落とすと、浩さんは美弥子さんに近づきました。あまりにも怒りに満ちた顔つきでしたので、美弥子さんは一瞬、殴られるのかと思って身をすくめました。

「ケニーって誰だ？　毎日会ってるってどういうことだ？　家にまで上げてるってどういうことなんだよ」

浩さんはついさっき、駅で利恵子さんに会ったのでした。利恵子さんが傘を持っていなかったので、自分の傘を半分さしかけてあげました。何か話した方がいいだろうと思われましたので、「フィールドワーク、たのしそうですね」と言ったのでした。最近、美弥子さんが話すのは、そのことばかりだからです。「フィールドワーク？」利恵子さんは訊き返しました。「探険、じゃなくて散歩、でしたっけ？　ご近所の外国人を集めて、ツアーみたいなのをしてるんでしょう？」浩さんは言いました。「美弥子さんがそう言ったの？」利恵子さんの声も表情も、とても不愉快そうでした。雨はかなり強く降っていて、二人とも、片方の肩を濡らしながら歩きました。

利恵子さんにしてみれば、それは公正《フェア》さの問題でした。利恵子さんは、美弥子さんのことも浩さんのことも、ジョーンズさんのことも好きでした。だからこそ、三人にフェアでいて欲しかったのです。外国人ツアーなどという馬鹿げた嘘に、加担するつもりはありませんでした。

「それ、彼女とケニーのゲームなんじゃないかしら」

それでそう言いました。利恵子さんは、結婚の神聖さを信じています。他の男性に気持ちを移したりすれば、罰を受けて当然です。とはいえ、浩さんを必要以上に傷つけたくはありませんでしたから、二人——というのは勿論ジョーンズさんと美弥子さんです——がどう見ても恋人同士であること、指をからめ合っている姿を、たびたび目撃されていることなどは話しませんでした。ただ、他人の口に戸はたてられないこと、事実すでに近所では噂になっていて、だから心配していたということ、毎日のように二人で出歩いたり、御主人の留守に彼を家に入れたりするのはよくないと思うこと、いわんやまるで新婚カップルみたいに（という部分は口にだしませんでしたけれど）、二人でお風呂屋さんの暖簾をくぐったりしていいはずがないこと、を述べただけです。

浩さんは何も言いませんでした。

利恵子さんは最後に、自分が仲良しの美弥子さんをとびこして、いきなり浩さんに告げ口したわけではないことを示すために、一度、美弥子さんに直接意見したこともつけ加えておきました。美弥子さんが聞く耳を持たなかったことも（「どうして？」そのとき美弥子さんは言ったものです。九月の終りごろだったでしょうか。「どうしてそんなことを言うの？」「人目があるでしょう」と利恵子さんが諭すと、美弥子さんは笑って、「人目を忍ばなきゃならないようなこと、していないもの」とこたえました。「ひろちゃんにも、ちゃんと話してるし」と。それが外国人ツアーとは、あきれ果てるというものではないでしょうか）。

浩さんは、やっぱり何も言いませんでした。

美弥子さんは、浩さんの剣幕に驚きはしたものの、ほんのすこしほっとしました。何の話かわかったからです。

「ケニーって、ジョーンズさんよ」

そう言いました（そのくらいのことは、浩さんにもわかっていたのですが、ともかく）。

「毎日なんて会ってないわ。せいぜい週に一日よ。夏休みのあいだはもっと会っていたけど――」

「何してるんだ？」

美弥子さんの言葉を遮って、浩さんは訊きました。

「そいつと二人で何してるんだ？」

美弥子さんは黙ります。何をしてるか？　あの時間を、どう言えばいいのでしょうか。

「散歩よ」

結局そうこたえました。

「いつも話してるでしょう？　このあいだは落語を聞いたわ。ただ歩いたり、話したり、喫茶店に――」

「ばかじゃないのかっ」

またしても美弥子さんを遮って、浩さんは怒鳴ります。そしてまた、

「一体何してるんだ？」

と、おなじことを呟くように口にするのでした。

「そいつと二人で風呂屋に通ってるってほんとか？　そいつの部屋には風呂がないのか？」

美弥子さんは目を大きく見ひらきました。

「それ、どういう意味なの？」

沈黙がおりました。

「真昼間から男と」

吐き捨てるように浩さんが言ったとき、美弥子さんの口から——美弥子さん自身も驚いたことに——、ため息にも似た笑いがこぼれました。

「何が可笑しい？」

「夜ならいいみたいな言い方ね」

美弥子さんは言いました。


浩さんは信じられない思いでした。自分の妻がよその男と親しく遊びまわっているというだけでも驚天動地の出来事ですが、それをあっさり認めた上で、反省の色さえ見せず、傲岸《ごうがん》不遜《ふそん》に自分を睨み返している目の前の女が、ほんとうに、浩さんの知っているあの美弥子さんでしょうか。

従順。

浩さんは、誰かに「奥さんってどんな人？」と尋ねられると、まずそうこたえることにしていました。それが、美弥子さんの性質のなかでも、浩さんのもっとも気に入っている美点だからです。顔は中の上。次にそうこたえます。料理上手。真面目。尋ねた人が気の置けない相手であれば、こうつけ加えます。「あんまり真面目で、おとすときにはちょっと苦労したけどね」（そしてそれはほんとうでした。顔立ちが整っていて、比較的裕福な家に育ち、スポーツもできて、流行の場所やお店にもくわしい浩さんは、十代のころから女の子に人気がありました。ガールフレンドの途切れることがなく、だからこそ女の子を喜ばせる術にも長けた自負がありました。けれどそのいちいちが、美弥子さんの目には遊び人というか危険なものに映ったようで、何かと理由をつけては誘いを断られていたのです。それで、浩さんはお友達をまき込んで、健全なグループ交際からスタートさせなければなりませんでした）。

それが、「夜ならいいの？」です（勿論正確には違いますが、浩さんにはおなじことでした）。

「聞いて、ひろちゃん」

美弥子さんは言いました。

「いつも話してるでしょう？　銭湯に行ったことだって話したわ。ジョーンズさんが――」

「うるさい」

浩さんはどなります。確かに、美弥子さんからそういう話は聞いています。でも――。

「二人きりだとは言わなかったじゃないか。利恵子さんやデレクも一緒だって言っただろ。ボランティアとか町内会とか」

「そんなこと言ってません」

美弥子さんはこたえます。

「じゃあ、そう思い込むように仕向けた」

浩さんの言葉に、美弥子さんは両手を大きくひろげて、呆れた、というポーズで応じました。

「私は、仕向けたり、しません」

ゆっくり、文節を区切りながら言います。

「絶対に、一度も、そんなことはしていません」

した、と、浩さんは思います。現に浩さんはそう思い込まされていたのですから、これ以上確かなことはありません。

「その男のことだって」

浩さんは、ジョーンズさんの名前を発音することさえいやでした。

「害のない年寄りだと思い込ませた」

美弥子さんは何も言いませんでした。気味の悪いもの――虫とか、汚物とか――でも見るような顔つきで、浩さんを見ています。

利恵子さんの話では、二人の関係は、去年のハロウィンあたりから始まったらしいとのことでした。だとすればもう一年になります。そのあいだ、騙され続けていたのかと思うと、わめいたり吐いたりしそうでした。そして、いま、浩さんの目に、美弥子さんは全く知らない女のように見えるのでした。

手に負えない。

それが、美弥子さんの思ったことでした。こんなひろちゃんは手に負えない。説明しても聞いてもらえないのなら、説明に何の意味があるでしょう。美弥子さんは、ジョーンズさんを年寄りだなどと言ったことも思ったこともありません。五十代半ばとは思えないくらい好奇心旺盛で、活気に満ちていますし、健康そうで、ユーモラスで、腕がきれいで、髪も豊かです。

「あのね、ひろちゃん」

美弥子さんは言いました。

「ジョーンズさんは素敵な人よ。全然年寄りじゃな――」

最後まで言えなかったのは、テーブルに置いてあった本を、浩さんが壁に投げつけたからです。美弥子さんは身がすくみました。びっくりしすぎて、指先がつめたくなります。

「ばかみたいに興奮するのはやめてちょうだい」

言い置いて、二階にあがろうとしたときのことです。

「ここでやったのか?」

背後から声が追いかけてきました。低い、太い、陰湿な声でした。美弥子さんは自分の耳が信じられませんでした。

「何て言ったの?」

それで、ふり向いて訊き返しました。

「ここでやったのかって訊いてるんだよ。この家のなかで。ソファか? 床か? それとも寝室ま——」

途切れたのは、美弥子さんが叩こうとしたからです。浩さんの頬めがけて素早い動作で手をふり上げたのですが、美弥子さんの手首は浩さんにつかまれ、ねじり上げられました。

痛いわ、と、でも美弥子さんは言いませんでした。放して、とも。怒りのあまり口がきけなかったからですし、どんなことであれ、浩さんに頼みたくなどなかったからです。

浩さんは、投げ捨てるように美弥子さんの腕を放しました。美弥子さんは浩さんを睨みつけると、何も言わず二階にあがりました。最近フィールドワークに持ってでる布製の手提げ——美弥子さんが自分で作ったものです。しっかりしたベージュの生地に、白い糸で丸を組み合わせた柄が刺し子してあります——だけを持って、階段をおり、玄関で靴をはいて、外にでます(浩さんは、リビングにつっ立ったまま、その音を聞きました)。身体の隅々にまで怒りが充満し、いまにも発熱しそうでした。侮辱です。浩さんは美弥子さんを侮辱したばかりではなく、美弥子さんとジョーンズさんの関係をも侮辱しました。

新鮮な夜気をすいこみ、傘をひらきます。傘を遠くにずらし、顔を空に向けて雨を受けとめてみます。いい気持ち。怒りに震え、依然として発熱しそうではありましたけれど、美弥子さんはそう思いました。外は、いい気持ち。

行く場所は、一つしか考えられませんでした。いま会いたいのはジョーンズさんだけですし、ジョーンズさん以外に、このとんでもない状況を理解してくれそうな人はいないのですから。

11

遊びに来た学生に、近所の中華料理屋で餃子や炒飯やラーメンをごちそうし、自分でも夕食を済ませたジョーンズさんがアパートに帰ると、ドアの前に美弥子さんが立っていました。

「ワオ」

あまりにも思いがけなくて、ジョーンズさんは、つい英語で言いました。

「ごめんなさい、突然」

辛うじて笑みを浮かべてみせた美弥子さんでしたが、ジョーンズさんの顔を見た途端に、会えた安堵とやり場のない悔しさが胸に溢れ、声がわずかに震えてしまうのを、どうすることもできません。一時間近くも玄関の前で待っていたので、すっかり凍えてもいました。そして、そんな美弥子さんの白い小さい顔は、夜のなかで、ジョーンズさんの目に、いつもよりさらに白く小さく、儚《はかな》げで妖艶に見えるのでした。

「構いませんよ、僕は全然。いつだって、大歓迎です」

ジョーンズさんは、陽気な口調を心がけて言いました。

「どうぞ、入ってください」

鍵のかかっていないドアをあけます。

あいてたの？　美弥子さんは思いましたが、口にはだしませんでした。ジョーンズさんがドアをおさえ、美弥子さんはなかに入ります。

よその家だ、というのが、ジョーンズさんが部屋の電気をつけた瞬間に、美弥子さんの感じたことでした。よその家だ。それは強烈な心細さでしたけれど、よその家なのはあたりまえですから、そんなことにたじろいだ自分を、美弥子さんは嗤《わら》いました。ばかね、どこだと思ってたの、と。

とてもきれいに片づいている、というのが、次に美弥子さんの感じたことでした。蛍光灯に照らされた、がらんとした畳敷きの部屋です。

「どうぞ、そのへんに坐ってください」

ジョーンズさんが言い、美弥子さんはそのとおりにしました。樋《とい》を流れる雨水の音が、やけに近く大きく聞こえます。

「窓、あけっぱなし」

呟くと、台所から、

「ああ、構いません。いつもそのくらいあけておくんです。廂《ひさし》がありますし、雨は大して降り込みません」

という声が返りました。そのくらい、というのは、美弥子さんの目測によると十五センチでした。

のみものの載ったお盆を手に、ジョーンズさんが戻ってきます。

「ごめんなさい」

美弥子さんはもう一度言いました。

「私、あの、ひろちゃんと喧嘩してしまって」

ほう、という表情を、ジョーンズさんはしました。

「美弥子さんでもするんですね、喧嘩」

そしてそう言いました。美弥子さんは首をかしげます。

「めったにしないんですけれど」

ふふふ、と、ジョーンズさんは笑います。夫婦喧嘩というものに、十全に免疫があるのです。ジョーンズさんが深刻な顔をしたり、驚いたりしなかったことで、美弥子さんはすこしだけなぐさめられました。

「みっともないですね、こんなの」

小さな声で、恥入ったように言いました。

「そんなことはないですよ。きちんと向い合おうとすれば、ときには衝突も避けられない」

ジョーンズさんはにっこりし、

「それができる人たちは立派だと思いますよ。僕はできずに逃げだしてしまった」

と続けて、肩をすくめました。

「そういう喧嘩もあるでしょうけれど」

美弥子さんは考えて、

「すくなくとも今夜の私たちの喧嘩は違います」

ときっぱり言いました。

「全然立派じゃなかったわ」

思いだし、腹立ちのあらわな声になりました。ジョーンズさんは苦笑します。

「野生の七面鳥、お好きですか?」

唐突に尋ねられ、美弥子さんは眉根を寄せました(理解しにくいことを理解しようとするときの、それがこの人の癖でした)。ジョーンズさんはボトルを持ち上げて見せます。

「ああ、お酒」

風変りな冗談に、今度は美弥子さんが苦笑する番でした。

「ええと、構わなければ、私はお水をいただきます」

美弥子さんにとって、のみものには二種類しかありません。お酒と、お酒ではないあれこれです。後者の方がずっと好きでした。下戸ではありませんから、夕食のときには浩さんとビールをのみますし、外食のときにはワインや日本酒ものみます。けれどどんな場合も、美弥子さんの感想は一つで、それは、〝お酒の味がする〟でした。おいしいとも、まずいとも思えないのです。

「水? じゃあ、サイダーはいかがですか」

ジョーンズさんは言い、再び台所に消えました。

「続けてください」

戻ってくるとそう言って、冷えた罎の栓を抜きます。

「ええと」

言い淀んだ美弥子さんに、

「全然立派じゃなかった」

と、さっきの会話を思いださせました。

「衝突にさえならなかったんです」

美弥子さんは言いました。

「だって、ひろちゃんは私を——」

言いかけて、その先の言葉をのみこみました。ひろちゃんは私を、ジョーンズさんと寝ていると思ってるの。

言うべきではない、と、美弥子さんは思いました。あれがどんなにひどい侮辱だったか、ジョーンズさんにならわかってもらえる。そう思ってここに来たわけでしたけれど、冷静に考えてみると（まあ、考えるまでもなく）、それは大変失礼な発言ですし、夫婦喧嘩に自分も関係があると知れば、ジョーンズさんのことですから、責任を感じてしまうかもしれません。

「一方的にののしったの」

それで、そう言い換えました。事実だわ、と思いながら。ふむ、というような声を、ジョーンズさんはだしました。

「ののしられるようなことを、したんですか?」

美弥子さんは慎重に、かつ重々しく、

「いいえ」

とこたえます。迷いはありませんでした。ジョーンズさんはにっこりします（なんとなく、こたえを知っていたみたいな微笑みだわ、と、美弥子さんは思います）。

「それなら」

ジョーンズさんは言いました。

「それなら大丈夫。何も問題はありません」

自信に満ちた口調です。

でも、それならどうして、私はここにいるのかしら。もし問題がないのなら、私はひろちゃんのそばにいるはずなんじゃないかしら。

胸の内に湧いた疑問を、美弥子さんは口にだしませんでした。あとでゆっくり考えよう。そう思ったのです。あとで、一人になってから。実際、それができそうなくらいには、美弥子さんは落着きを取り戻していました。怒りは変らぬ強さで胸に痼《しこ》っていましたけれど、もう発熱しそうではありませんでしたし、むしろその怒りは体内で、つめたく感じられました。ほとんど、悲しみと区別がつかないほどでした。


美弥子さんは、今夜ここに泊るつもりなのだろうか。

ジョーンズさんには、それが気になっていました。なにしろ、時刻はもう十一時になろうとしています（ジョーンズさんがアパートに帰った時点で、すでに十時近かったのです）。

勿論、美弥子さんが傷ついていることは火を見るようにあきらかでしたし（「一方的にののし」られたりすれば、誰だって傷つくに決っています）、諍いのあとの疲労も怒りもやぶれかぶれな気持ちも、ジョーンズさんにはよく理解できました。だからこそ、そこにつけ込むような真似はしたくありませんでしたし、今夜、自分を頼ってここに来てくれた美弥子さんの、信頼と友情を失うつもりもありませんでした。

とはいえ一方で——と、ジョーンズさんは考えずにいられないのですが——、もし美弥子さんが、何か——たとえばなぐさめ、称賛、女性として、自分に魅力も価値もあるということの確認、あるいはもっと単純に、肌と肌、吐息と吐息による会話——を求めているのだとしたらどうでしょう。薄ピンク色のツインニットとベージュのコットンパンツ、裸足（ここには、スリッパというものはありません）、という姿の美弥子さんは、ジョーンズさんの根城であるこの狭い部屋のなかで、戸外や彼女の家で会うときよりずっと無防備に、ずっと生々しく見えました。裾からのぞく足はひどく白く、サイダーの入ったコップを持つ指は細く、手の甲には血管が青く透けて見えます。つやつやの黒髪も、悲しみのせいで色を失った唇も、ともかく何もかもがジョーンズさんに、強く訴えかけてくるのでした。

「雨、あがったんですね」

美弥子さんが言いました。立ちあがり、たしかめるためなのか、窓辺に行きます。アパートの隣は駐車場ですが、手前に一列にならんだ木立があり、夏のあいだは旺盛な緑を見せてくれるその枝々も、風と雨でいまはだいぶしょぼくれて、濡れた葉を地面に落としています。

「いい匂い」

美弥子さんは言い、窓から顔をつきだして、空気の匂いをかいでいます。さっきまでの雨音は、虫とカエルの声にとってかわられていました。虫はしきりに鳴き、カエルはときどき鳴きます。気怠そうに。

ジョーンズさんは、美弥子さんのうしろに立ちました。両手を窓枠につき、美弥子さんを腕の内側に入れます（ジョーンズさんには、美弥子さんの背中が緊張したことがわかりました）。

「うん、いい匂いだ」

ジョーンズさんは言い、美弥子さんの白い頬に唇をつけてみました。ためしに、です（ジョーンズさんの経験では、女性はそうされるとゆっくり頭を動かして、唇に唇がぴったり合わさるようにしてくれるものでしたから）。

けれどそうはなりませんでした。美弥子さんは瞬時に顔をそむけ、ふり返って、びっくりしたようにジョーンズさんを見ています。

ジョーンズさんには、それで十分でした。

「なるほど」

呟いて、腕を離し、美弥子さんを解放します。

「御主人のことが好きなんですね」

笑みを含んだやさしげな声は、心からのものでした。質問のつもりではなかったのですが、美弥子さんはすこし考えて、

「どうかしら」

と、言いました。真面目に考えている顔でしたので、ジョーンズさんは可笑しくなります。僕にはわかりますよ。胸のなかだけで言いました。あなたが気づいていないのだとしてもね、と。

「帰りますか？　帰るのなら送っていきますし、泊っていかれるなら布団を敷きます。僕は台所で寝ますから」

ジョーンズさんは朗らかに言いました。


勿論、美弥子さんは浩さんが好きでした。すくなくとも、それが最初に思い浮かんだ返答です。でも、どこが？　そう自問してしまったために、よくわからなくなったのでした。だって、夫だもの。というのが美弥子さんの正直な気持ちで、でも、好きだから妻と夫になったのに、夫だから好きというのはおかしい、というのが、美弥子さんの、いわば自己批判でした。

それに。

グラスや氷を台所に運ぶのを手伝いながら、美弥子さんは考えます。それに、今夜のひろちゃんは知らない人みたいだった。気味の悪い、心のねじまがった、乱暴で頭の悪い男の人みたいだった。ジョーンズさんに泊めてほしいと言ったのは、知らない人みたいな浩さんのいる家に、帰りたくなかったからです。

「まあ」

台所に足を踏み入れると、美弥子さんは思わず声をもらしました。食器棚が、ほとんど本に占領されていたからです。

「僕は料理をしないので」

ジョーンズさんは言い、高い位置に造りつけられた収納棚や、流し台に付属しているひきだしを、幾つかあけて見せました。

「鍋釜の類は必要がないんです」

「なるほど」

美弥子さんは言いました。部屋に物がなく、徹底的に整然としていたことの理由が、これでわかりました。物は、みんな台所にしまってあるのです。

「あの、洗面所をお借りしてもいいですか?」

畳の中央に、自分のための布団が敷かれるのを申し訳なく——けれど手伝うのも不躾である気がして手出しできずに——見守ったあと、美弥子さんはごく遠慮がちに言い、ジョーンズさんは美弥子さんに、新品の歯ブラシと清潔なタオルをだしてきてくれました。

　こうしてジョーンズさんの部屋に泊ることになった美弥子さんですが、布団に入ってもなかなか寝つけませんでした。よその家の布団に着衣のまま寝ている（ジョーンズさんはパジャマを貸そうと言ってくれたのですが、美弥子さんはお礼を言って、断りました）という、事態そのものの居心地の悪さもさることながら、自分が激しい言い争いをしたということへの驚きや、ののしられた衝撃と怒り、知らない人みたいに見えた浩さんへの恐怖、といったもろもろが、パンケーキにかけるシロップみたいに脳にしみわたり、それが美弥子さんを憤らせ、不安にし、眠らせないのでした。

　何も問題はありません。ジョーンズさんの言葉が甦り、でも、と、美弥子さんは考えます。でも、家をとびだしたとき、私が会いたかったのは、ひろちゃんじゃなくジョーンズさんだった。問題ない、と言って私を安心させてくれたのも、ひろちゃんじゃなくジョーンズさんだった。それは問題じゃないのかしら。

　ひろちゃんが――。

　枕がわりにたたんで置いたタオルに頭をのせて、美弥子さんは思います。ひろちゃんが、私とジョーンズさんを汚らわしい関係だと決めつけている限り、帰りたくないと。それはたしかでした。けれど、勿論帰らないわけにはいきません。美弥子さんにも、それはわかっていました。ジョーンズさんの布団のなかで、小さくためいきをつきます。ひろちゃんはもう眠ったかしら。私のいないベッドを、淋しいと感じてくれているかしら。

蛍光灯の豆電球だけをつけてあるので、部屋のなかは完全な闇というわけではなく、目をこらすと、天井の木目が見えました。木目と橙色の豆電球を、美弥子さんはなつかしいと感じます。子供のころに泊りに行った、浅草のおばあちゃんの家みたいだ、と。

枕と毛布だけを持って台所にひきあげたジョーンズさんもまた、眠れずにいました。けれどそれは、美弥子さんが眠れずにいるのとは、全然べつな理由でした。横になってはみたものの、起きだして「野生の七面鳥」をもう一、二杯、のむべきかどうか決めかねています。アルコールの力を借りれば寝入りやすくなるはずですが、そんなことをすれば鼾《いびき》をかく羽目になるかもしれません。ジョーンズさんは美弥子さんに、鼾を聞かれたくはないのでした。

12

翌朝は、すっきりとした秋晴れになりました。空は洗いたてのように澄んで高く、空気は気持ちよくひきしまっています。

「おはよう。よく眠れましたか」

ジョーンズさんが言ったとき、美弥子さんは窓辺に坐り、ぼんやりと外を見ていました。布団はすでにたたまれて、部屋の隅に置かれています。文机の上のラジオが、これでは聞こえないだろうと思うくらい絞ったヴォリウムでつけられていましたので、ジョーンズさんには、美弥子さんが自分を起こすまいと気を遣ってくれたことがわかりました。

「おはようございます」

子供のような、わずかに腫れぼったい顔をジョーンズさんに向けて、美弥子さんは言いました。

「このお部屋、夜と朝では全然印象が違うんですね」

「そうですか?」

ジョーンズさんにとって、それは自明のことでしたけれど、ある種の謙遜としてそう言いました。

「ええ。ゆうべは気がつきませんでしたけれど、ものすごく清潔で清々しいわ。何ていうか、禅寺みたい」

パジャマ姿のジョーンズさんを、美弥子さんは男っぽいと思いました。あまりじろじろ見るわけにいきませんから、視線は頭部に据えて話しましたけれど、この人パジャマが似合うわ、というのが、偽らざる感想でした。そして、急いで浩さんのパジャマ姿を思いだそうと努めました。そうすべきだと思ったのです。ちゃんと思いだせましたので、美弥子さんはほっとします。大丈夫、私はひろちゃんのパジャマ姿も、とても好きだわ。

「すぐに朝食にしますから、ちょっと待っていてくださいね」

ジョーンズさんは言いましたが、美弥子さんは辞退しました。

「いえ、おかまいなく。その、もう帰らなくちゃいけませんから」

言葉にしたあとで、泊めてもらっておいて、いまさら「おかまいなく」などと言うのはひどくおかしい、と気がつきましたので、

「あの、ごめんなさい、いろいろ御迷惑をおかけしてしまって」

と、言い直しました。

「いえいえ」

ジョーンズさんは微笑みます。

「ちっとも迷惑なんかじゃありません。またいつでも遊びに来てくださいね。鍵はかけない習慣ですから」

美弥子さんは、感謝のしるしに笑みを返して、手提げを持って立ち上がります。

「でも、ほんとうに朝食をいかがですか？　全く手間じゃありませんよ。ベーグルとクリームチーズしかありませんから。朝はいつもそれだけなんです」

美弥子さんは、もう靴をはいていました。

「ありがとうございます。でももう帰らなくちゃ」

自分でも矛盾していると思いましたが、美弥子さんは一刻も早く家に帰りたい気持ちでした。朝帰りだわ。そう思うと、自分の大胆さに驚きを禁じ得ません。ドアをあけ、朝の光に

目を細めます。しばらく前に、ラジオで八時の時報を聞きましたから、浩さんはもう会社に行っているはずです(毎朝八時十分ぴったりに、家をでるのです)。鉄製の階段をおり、家やアパートの建ちならぶ道を、自宅めざして歩きだします(パジャマ姿のジョーンズさんが、手摺ごしに後ろ姿を見送ってくれていることには、気がつきませんでした)。身体が妙に軽く、足にうまく力が入りませんでしたので、美弥子さんはふわふわと歩きながら、私はゆうべ、ほんとうに発熱したのかもしれない、と、思いました。手に持った傘が何ともきまりわるくて、知っている人に会いませんようにと、願わずにはいられませんでした。

当然のことですが、家は、普段と変らない様子でそこにありました。美弥子さんは門をくぐり、階段をのぼります。玄関の鍵をあけ、なかに入った瞬間に、けれど美弥子さんには、何もかもがきのうまでとは違ってしまったことがわかりました。目に入るものはおなじです。白い陶器の壺形の傘立て、左側の小窓、天井までの高さの、一部に鏡の埋め込まれた下駄箱の扉、壁の銅版画(サーカスの象を描いたもので、美弥子さんのお気に入りでした)。見慣れたものばかりのはずなのに、そのすべてが、あきらかによそよそしく感じられました。まるで、美弥子さんを拒絶しているかのように。

ばかばかしい。

美弥子さんは胸の内で言い、わざと足音を立てて自分の家にあがります。リビングの窓をあけ、淀んだ空気を入れ換えました。壁際には、ゆうべ投げつけられた本がひらいた形で落ちていて、部屋の中央には浩さんの湿った靴下とハンカチが、まるまっていました。そこでも、何もかもがきのうまでとは違って見えました。壁も家具も窓もカーテンも、美弥子さん自身がすこし前に生けた、白いチューリップさえも。

台所でもおなじことでした。テーブルには、夕食のために準備した麻のマットや食器がそのまま残り――あれはほんとうにゆうべのことだったのでしょうか、料理の色どりを考えて、注意深くお皿を選んでならべたのは――、その横に、浩さんが今朝牛乳をのんだらしいコップが、やけに生々しい白さで置いてあります。ゆうべの料理は、一切合財がゴミ箱のなかでみつかりました。ミートローフに至っては、耐熱ガラスの器ごと捨ててありましたので、美弥子さんはすこし考えて拾いだし、固くなった肉だけを捨てて、器はきれいに洗いました。きのうのお昼から何も食べていないことに気づきましたが、空腹は感じませんでした。機械的ともいうべき動作で洗いものをし、シンクを磨き、床も拭きます。二階にあがり、あちこちの窓をあけると、乱れたベッド――浩さんが輾転反側《てんてんはんそく》したのでしょうか――を整えました。それから着ていた服を脱ぎ、すべて洗濯機におしこむと、美弥子さんはシャワーを浴びました。

家は、よそよそしいままでした。美弥子さんが自室にしている六畳間でさえはっきりと違って見えます。シャワーを浴び、清潔な服に着替えた美弥子さんは、自分が動揺していることを認めざるを得ませんでした。家に、嫌われた？　でも、たった一晩で、すべてが変ってしまうなどということがあるのでしょうか。

ばかばかしい。

美弥子さんはもう一度そう思いました。だいいち、私は何もわるいことはしていないわ、と。けれどその言葉は、美弥子さん自身の胸にさえ、真実からかけ離れたことのように響きました。美弥子さんが、ほんとうに驚いたのはこの瞬間でした。

「なんてこと」

つい声にだしてしまったほどです。いまや美弥子さんにもわかっています。変ったのは家ではなく美弥子さんなのでした。

ドレッサーがわりの小机、そこに置かれた化粧品の罎やコーヒーマグ（きのうの午後に使ったものです）、萩中の家から持ってきた、小さなウサギの置物。きのうまでたしかに美弥子さんに属していたはずの——それとも、美弥子さんが属していたはずの、でしょうか——品々を見ながら美弥子さんは茫然とします。そのとき、携帯電話が点滅しているのが目に入りました。ゆうべ持ってでるのを忘れた、美弥子さんの携帯電話です。おそるおそる——というのは、それさえもよその人の持ち物のように思えたからですが——手にとると、伝言の録音と着信履歴、メイルが合わせて十一件入っていました。

「美弥子？　何かあったの？　浩さんに、行き先くらい言ってでなくちゃだめでしょう？　どこにいるの？　とにかくね、これを聞いたら電話してちょうだい。浩さんにも電話しなさいよ」

というのがお母さんからの伝言で、

「美弥子？　梨果だけど、あんた大丈夫？　さっき浩さんから電話があって、うちには来てないって言っちゃったよ。まずかった？　またかけてみるけど、そっちからも電話してね。じゃーねー」

というのが、学生時代のお友達からの伝言でした。

「美弥子？　ユッカです。ひさしぶり。さっき浩さんから電話もらって、余計なお世話かもしれないけど心配になって電話しました」

「もしもし？　利恵子です。美弥子さん、どこにいるの？　あの、私の言ったことで、もし喧嘩させちゃったのだったらごめんなさい。でも、私は当然のことをしたまでだと思ってるの。……ええと、浩さんに連絡してください。お願いします」

「もしもし？　川村——」

容量が一杯になったらしく、録音は、そこで唐突に切れていました。そのあとの着信履歴には、美弥子さんがかつて通っていたフラワーアレンジメントの教室の、先生の番号までありましたので、浩さんがゆうべ、随分ほうぼうへ問合せたことがわかりました。

メイルも、おなじような内容でした。ただし録音よりも全体に気軽な調子で、「ケンカしちゃダメだよー（ばってんで作った顔のマーク）」とか、「いつでも泊めてあげるからおいで。ファイト！（力こぶの絵文字）」とか、気遣うというより励ますことに力点を置いて書かれたもののようでした。

すべての伝言を聞き終え、メイルを読み終えた美弥子さんは、愕然としました。この人たちは一体誰なの？　そう思ったからです。勿論、誰であるかは知っていました。みんな、美弥子さんがよく知っているつもりだった人たちです。けれど、いま彼らは揃いも揃ってひどく遠い場所——対岸——にいるようでした。

「大変」

美弥子さんは呟きました。呟いてなお、信じられない思いです。美弥子さんは、いままでに、これほどびっくりしたことはありません。ドレッサーがわりの小机につかまって、身体を支えなければならなかったほどです。

「どうしよう」

そしてもう一度、ぼんやりと呟きました。

私、世界の外へでちゃったんだわ。

美弥子さんにわかったのは、そのことでした。

13

それは、思っていたよりずっと大規模な即売会でした。ナタリーが出品している「現代外国人陶芸家」のコーナーは催しのごく一部に過ぎず、メインはむしろ骨董市で、幾つものブースに、全国から業者が出品しているのでした。備前、織部、古伊万里、萩。ジョーンズさんは目を輝かせ、舐めるように見て歩きます。器そのものの出来不出来や好き嫌いではなく、それらが経てきた時間、そして空間、おそらくは慈《いつくし》まれ、けれど時に忘れられたり捨て置かれたりもしたに違いない物たちの、現在ここに至るまでの物語、おもに「偶然」によって支配されたそれこそが、ジョーンズさんにとっての骨董の魅力です。流れ流れて、ここ――デパート――にたどりついた物たち。そう思うと親近感をおぼえます。

買うつもりはありませんでしたけれども、ジョーンズさんは、目についたものの幾つかに(勿論声にはださずに)、やあ、きみはかわいらしいね、とか、おつかれさん、とか、挨拶をしました。もの言わぬものたちとの交流は、ジョーンズさんをつねに穏やかな気持ちにさせてくれます。会場にナタリーは不在でしたが、彼女の作品が五点中二点売約済になっていたこともあり、ジョーンズさんはこの日、大いに満足してデパートをあとにしました。

授業は一コマしかない日でしたが、そういうわけで、アパートに帰ったのは夕方でした。

四時をすこし過ぎていて、晩秋の日ざしが、あたりを淡い金色に染めています。商店街で買ったお好み焼きの袋から、濃く甘いソースと鰹節の、むうっとする匂いが漂っていました。

美弥子さんは、部屋の奥、窓の前に壁を背にして坐っていました。両膝を、揃えて立てた恰好で。ジョーンズさんを見ると弾かれたように立ち上がり、

「おかえりなさい」

と言いました。

来客には慣れているジョーンズさんですが、きょう――きのうのきょう、というか、けさのいま――、美弥子さんがここにいるとは、不覚にも――とジョーンズさんは思ったのですが――、考えてもみませんでした。

「あの、ごめんなさい」

美弥子さんは、ジョーンズさんが口をひらくより前に言いました。気が急いているか、切羽つまっているか、その両方であるかのような口調です。

「きょうは泊ったりしませんから。ちゃんと行くところがあるんです。でも、あの」

美弥子さんが言葉を切りましたので、ジョーンズさんはドアを閉め、とりあえず、

「いらっしゃい」

と言ってみました。たとえ原因が浩さんでも、こうしてまた美弥子さんに会えたことは喜びです。

「あの、私……」

美弥子さんは言い淀み、さももどかしげな表情になりました。訴えるような眼差しで、ジョーンズさんをじっと見ます（見つめられ、ジョーンズさんはほとんど痛みを感じたほどでした）。

「どう言ったらいいのかわからないんですけれど、びっくりするようなことがあって、でもそれ、私のまわりの人たちには、あの、ジョーンズさんはべつなんですけど、つまり他の人たちには、わかってもらえないことなんです」

必死に言葉を探しながら、何かを自分に伝えようとする美弥子さんからは、これまでにない不安と切実さが伝わってきました。怒濤のようなフェロモンも。

「それで、どうしてもお話しする必要があると思ったんです。ご迷惑だったらごめんなさい。でも、変に聞こえると思うんですけれど、迷惑ではない、と思ってくださるような気がして、あの、うぬぼれてますね、そんなの。でも、どうしてもそう感じて」

滅多にないことですが、ジョーンズさんは言葉を失いました。こんなに率直な美弥子さんは見たことがありません。

勿論、うぬぼれなんかじゃありませんよ。

そう言いたいのに、感情が膨れあがって声がでません。それで——美弥子さんはまだ何か言っていましたが——、ジョーンズさんは美弥子さんの唇を、自分の唇でふさぎました。

最初の一瞬だけ、魚のようにびくりと身をふるわせた美弥子さんでしたが、すぐに力を抜いて、されるままになりました。ジョーンズさんは、たっぷりと時間をかけてキスをしました。礼儀正しく舌はしまっておきましたけれど、唇と、そのうしろの空洞とを駆使した、熱くやさしいキスでした。

ですがジョーンズさんが戸惑ったことに、唇を離すと、美弥子さんは一拍だけ間を置いて、まるでキスなどなかったかのように落着いた口調で、

「ほら」

と悲しげに言ったのでした。

「ほら、やっぱり私は世界の外にでてしまった」

と。

美弥子さんにとって、キスは目下取り沙汰するべき問題ではありませんでした。自分がすでに家に帰れないほど変ってしまったというのに――でも、一体何がいけなかったというのでしょうか。美弥子さんは今朝からずっと考えているのに、そこのところだけは謎でした――、いまさら肉体の潔癖さ――そんなものがもし自分に残っているとして――だけ固持したところで不毛です。おまけに、いましがたのキスは、美弥子さんがこれまでに交した、どんなキスとも違っていました。水みたいに新鮮で、おそろしいほど直接的で、心臓にまで流

れ込むようなそれだったという意味です。美弥子さんの考えでは、そこには本来あるべきありとあらゆるものが欠けていました。逡巡、感情、気配、思慮、思惑、嬉しさ、羞恥、いたわり、安らかさ、幸福。そして、それらこそが、これまで美弥子さんの世界を形づくっていたものでした。何もない場所で、いきなり唇と唇が、心臓と心臓が呼応しあうなどというのは、現実から見放され、切り離された人にのみ起こることではないでしょうか。

「世界の外に？」

ジョーンズさんは訊き返します（そうしながら、いまのは恋におちたという意味だろうか、と考えます。それ以外に、一体どんな解釈があるというのでしょうか）。

「ええ」

美弥子さんは、むしろ憂いに沈んだ面持ちでこたえました。

「説明させてください。あの、たぶん私が何を言っているのかおわかりにならないと思いますけれど——」

「わかりますよ」

ジョーンズさんに遮《さえぎ》られ、美弥子さんは眉根を寄せました（理解しにくいことを理解しようとするときの、それがこの人の癖なのです）。

「その、つまり僕は、ずっと以前から世界の外にでていますから」

それを聞くと、美弥子さんの顔にゆっくり、けれどみるみる——ちょうど、花のひらく場面の早送り映像のように——輝やかしい笑みが浮かび、ひろがりました。

「やっぱり」

歓喜と安堵の混ざり合った声で言います。

「私、そうじゃないかと思ったんです。もしかするとジョーンズさんはずっと昔から、もう世界の外にでていたんじゃないかって。何にも寄りかかれない、何にも護《まも》ってもらえない場所に——。でもびっくりだわ。ジョーンズさんには全部わかられてしまう、まだ何も説明していないのに」

美弥子さんは説明しました（もう、ゆうべのように遠慮したりはしませんでした）。浩さんがジョーンズさんとの関係を誤解したこと、勿論美弥子さんは訂正しようとしたこと、それがきのうの喧嘩の原因だったこと。

ためらいがちに、時間をかけて言葉を選びながら、けれど何一つ曖昧にしないよう心掛けて話しました。

ゆうべの時点では自分を潔白だと思っていたこと、ちっともそうではないらしいと気づいたこと、お母さんやお友達からの、メッセージを聞いたときの気持ちについても話しました。大切な人たちがみんなべつの世界にいることがわかって愕然としたこと、こわくて、とても家のなかにはいられなかったこと。

ジョーンズさんは、最低限必要と思われる相槌以外は口をはさまずに、じっと耳を傾けていました（手を洗って着替えをし、お好み焼きをお皿に載せて運んでくるあいだだけは、話が中断されましたけれど）。

聞き終わったときにはとっぷり日が暮れていましたので、天井の電気をつけなければなりませんでした。

「お鮨、食べに行きませんか？」

ジョーンズさんは言いました。

「お鮨？　でも……」

美弥子さんは、手つかずのままつめたくなってしまったお好み焼きを見ます。

「構いません。それは冷凍しておきますから」

ジョーンズさんは言い、台所に行ってそれを実行しました。

「電気をつけてしまうと、途端に味けなくなるんです」

台所から声がしました。

「暗がりにしか生息できない、目に見えないものたちがいて、あかるくすると、そいつらが逃げだしてしまうからだと僕は思いますね」

美弥子さんは、眉根を寄せました。

いつものかっぱ巻きではなく、美弥子さんの所望に従って白身のお刺身から食事をスタートさせながら、ジョーンズさんはわくわくしていました。ジョーンズさんの名誉のためにつけ加えれば、決して夫婦喧嘩を喜んでいるわけではありません。そうではなく、いままで知らなかった美弥子さん、世界の外にでたと打明けてくれた美弥子さんが、目を瞠《みは》るほど新鮮だったということです。好きな人の新しい面に接して、胸を高鳴らせない人などいるでしょうか。

隣で、美弥子さんは熱のある人のように高揚し、「信じられない」という言葉を何度も呟いています。外はもう夜なのに、ここでこうしてお鮨をたべているなんて信じられない、とか、突然世界がすっかり変ってしまうなんて信じられない、とか。ジョーンズさんにしてみれば、けれどそれらはまったく信じられることでした。自分のまわりに確固たる世界があると思い込むのは錯覚にすぎませんし、足元が揺らぐとか、既存の価値観が崩れ去るとかいうことは、人生のうちで人がしばしば経験せざるを得ないことです。ジョーンズさんの意見では、美弥子さんはただ単に、真理を発見したのです。

夕方から、美弥子さんはほとんど話しっぱなしでした。自分の家が、見知らぬ場所のように見えた。そのことを、言葉を換えて五度くらい言いました。余程衝撃を受けたのでしょう。そして、いま、美弥子さんは話せば話すほど、生気にみちていくようでした。

「これ、おいしいわ」

話の合間に、ふいに現実に戻ってそんなことも言います（美弥子さんがおいしいと言った

のはきんめでした)。けれどまたすぐに思いは浩さんへと向くらしく、
「私にわからないのは、何がいけなかったのかっていうことなんです」
と言ったりします。スペリングテストやマスプロブレムにとりくむ子供みたいに真剣なその表情を、ジョーンズさんは可憐だと思いました。

ほんとうに、一体何がいけなかったのかしら。美弥子さんが考えているのはそのことでした。ひろちゃん以外の男性と出歩いたこと? 手をつないだこと? 挨拶がわりの軽い抱擁? ならべたてるそばから、そんなことではないはずだ、と、心の声が否定します。ジョーンズさんといるとたのしいと感じたこと。嬉しいと感じたこと。安心だと感じたこと。ああ、そうかもしれない。美弥子さんは思います。たしかに私は、ジョーンズさんといると普段感じないことをたくさん感じた。風を、日ざしを、鳥の声を。世界の美しさを感じてしまった。自由を、くすくす笑いたいような密やかな高揚を、子供に戻ったような心強さを感じてしまった。ひろちゃんといるときには決して感じないみずみずしい気持ちを。私が世界の外にでてしまったのは、感じるべきではないことを感じてしまったせいかもしれない。

でも——。

「何から握ってもらいましょうか」

ジョーンズさんに尋ねられ、美弥子さんはガラスケースを眺めて、

「鰯《いわし》を」

と言いました。小ぶりで、とても新鮮そうに見えたのです。そして思考を戻します。

でも、人妻は物を感じちゃいけない、なんて法があるかしら。

自分の考えたことの恐ろしさにぎょっとして、美弥子さんはゆっくりまばたきをしました。まばたきは、考えたくない考えを追い払うのに効果的です。

「ここ、いいお店ですね」

そしてそう言いました。いまここにいる自分を、他人の目で見たかったのです。自分の目で見てしまうことはこわすぎましたから。

「ええ、僕も大変気に入っています」

ジョーンズさんは言いました。小さな、家庭的なお店です。静かで飾りけがなく、白木のカウンターは清潔そうに拭き清められています。酢飯と生姜の、すんと鼻を抜ける匂いを、美弥子さんはすいこみました。

「次は何を握ってもらいましょうか」

「じゃあ、鯖《さば》を」

他人の目で見ている限り、ここは平和そのものです。店の主人は控え目な物腰で、大きな湯呑のお茶をときどき啜りながら、客の注文に応じています。美弥子さんとジョーンズさん

にしても、仲のいい友人同士がお鮨をたべに来ている、それだけのことです。けれど一たび主観を許してしまうと、家庭を放りだしてこんな時間にここにいることの不安と罪悪感に、美弥子さんは足が竦《すく》む思いでした。

「理解できないわ」

思ったままを、つい口にしました。

「何がいけなかったのかほんとうにわからないのに、どうして罪悪感だけは感じるのかしら」

「罪悪感？」

その言葉を、ジョーンズさんはたとえば「帽子掛け」という言葉くらい突飛な、この場にそぐわないもののように発音しました。

「何に対する罪悪感ですか？」

美弥子さんはすこし考えて、

「こんな時間に自分が家の外にいるということに対してです。ごはんの仕度もせずに」

とこたえます。ジョーンズさんはしばらく続きを待っているようでしたが、美弥子さんがそれ以上何も言いませんでしたので、

「それだけですか？」

と、やや驚いたふうに訊きました。

「それだけって、それで十分じゃないですか？」

美弥子さんも、驚いたふうでした。沈黙が降ります。

「街にでれば」

ジョーンズさんは言いました。

「いまこの瞬間にも、外食している女性はたくさんいますよ」

知っている、というのが美弥子さんの思ったことでした。私も昔はそういう女性の一人だったもの。

「烏賊、頼んでもいいですか？」

「ええ、もちろん」

美弥子さんはこたえます。

「ここのお鮨、小ぶりでおいしいですね。きのうのお昼から何も食べていなかったこと、かえってよかったみたい」

ジョーンズさんは両手をひろげ、何ということだ、という仕種をすると、

「うにも食べましょう。ずけと蝦蛄も」

と言って、それらを一度に注文しました。

「おや、大盤振る舞ですね」

店の主人の軽口は、ジョーンズさんとの親しさを窺わせるものでした。そのせいか、他の

お客からも微笑がもれます。美弥子さんは、今夜たまたまここに居合わせた人々——カウンターの端に一人で坐っている女性、テーブル席の背広の二人連れ——の方が、浩さんやお母さん、電話やメイルをくれた友人たちよりも、自分にとって近しい人々であるというような、奇妙な感覚に襲われました。仲間。同胞。なにかそのようなもの。

「美弥子さん」

ジョーンズさんが言いました。

「これはあなたを絶望させるために言うわけではなく、単に事実だから言うんですが」

「はい」

美弥子さんはジョーンズさんをまっすぐに見て、続きを待ちました。絶望とは穏やかではありません。茶色い目、茶色い髪のジョーンズさんは、けれど人なつこい微笑をたたえ、穏やかな表情です。

「罪悪感というのは、自意識にすぎないんですよ」

その言葉が美弥子さんの心にしみとおるのに、すこし時間がかかりました。

「絶望させる?」

すっかりしみとおると、美弥子さんは嬉しくなって言いました。

「とんでもないわ。どうして私が絶望するんですか?」

逆でした。その言葉の持つ何かが、美弥子さんの恐怖を鎮めてくれました。美弥子さんの意見では、たぶんその言葉の持つ正しさが。

ふふふ、と、ジョーンズさんは笑います。

「それならばよかった」

珍しくて美しい植物でも見るような目で美弥子さんを見つめて、

「僕たちは似たもの同士ですね」

と、ジョーンズさんは言いました。

「事実に安心できる人間もいれば、事実に打ちのめされてしまう人間もいますから」

美弥子さんには、それはよくわからないことでした。けれど、罪悪感が自意識にすぎない、というそのことは、大変腑に落ちるのでした。


浩さんは、自分以外に誰もいない家のなかで、途方に暮れていました。まさに烈火のごとしだった激しい怒りは、誰かに水でも撒かれたかのように一日で鎮火し、浮気がもし事実なら許しがたいことだとはいえ、頭に血がのぼって本人の話を碌に聞かずに怒鳴り散らしたことは、クールを自任する自分には全く似つかわしくないことで、まずいやり方だったと反省さえ——すこしですが——していました。それに、冷静に考えてみると、浩さんにはあの美弥子さんが浮気をするとはどうしても思えないのでした。

きょう、もし美弥子さんが家に帰ってきていれば、ちゃんと話を聞いてやり、その男と二度と会わない約束をさせた上で、許してやるつもりでした。

けれど家のなかは空っぽです。

ゆうべ、美弥子さんがでて行ったとき、浩さんは、てっきり萩中の実家に向ったのだとばかり思っていました。両親に自分の言い分を訴え、多少なだめてもらえるとしても幾分かは諭されたりお説教をくらったりし（当然です）、そうしながら夫が迎えに来るのを待つつもりなのだろうと。

ガレージのシャッターの上がる音も、車のエンジンのかかる音も聞いていない。そう気づいたときには、美弥子さんがでて行ってから二、三十分経っていました。浩さんは困惑しました。萩中の実家に帰るとき、美弥子さんはいつも車を使います。運転することが好きなのです。浩さんが知る限りずっと昔から、夜道を歩くことを恐がる女性でもあります。その彼女が、雨の夜に、わざわざ電車で帰ったりするでしょうか。

美弥子さんの部屋に入り、アドレス帖を探してひらくことに、躊躇はありませんでした。もしかして、と思われる相手には、恥をしのんで片端から電話をかけましたが、徒労でした。携帯電話が放置されていましたので、それも調べましたが手がかりも、浮気の証拠めいたものもありませんでした。

そのときの恐怖を思いだし、浩さんは身震いしました。興奮して家をとびだし、交通事故にでも遭ったのではないか。そんな心配までして、救急車のサイレンや、警察からの電話を想像しさえしたのです。思いだすとまた腹が立ち、浩さんはテレビをつけて、ヴォリウムを三段階上げました。それから台所に行き、冷蔵庫をあけます。交通事故とおなじくらい考えたくないことでしたが、ケニーとかいう男のところへ行った可能性も、頭をかすめずにはいませんでした。けれど、いくらなんでもそこまでばかなことをするはずはない、と思えましたから、とりあえず待ってみることにしたのでした。

冷凍してあったごはんを解凍し、生卵かけごはんをつくります。レタスと胡瓜がありましたので、マヨネーズをかけてそれもたべました。

ホテルに宿泊しているのかもしれない。

浩さんはそう思いました。エステとかジムとかプールとかのある、都心の瀟洒なホテルの特集記事を、いつだったか、美弥子さんに見せられたことを思いだしたのです。普段、美弥子さんは決して浪費家ではありませんけれど、自分を不当に責めた——まあ、無実だとすれば——夫への意趣返しとして、一晩か二晩贅沢をしてもばちは当らないはずだ、と考えたとしても不思議はありません。女性というのはそういうことをしがちではないでしょうか（実際、浩さんがかつてつきあった女の子たちは、よくそういうことをしました。浩さんが他の子とデートをしたとか、何かの記念日を忘れたとかいうときにです）。

それに——。

食器を意図的に放置して、浩さんは、この日無人の家に帰って以来はじめて、にやりとしました。それに、きょう美弥子さんがいったんここに帰ってきたことはあきらかでした。美弥子さん以外の一体誰が、前日の靴下を片づけたりベッドを整えたり、鉢植えに水をやったりするでしょうか。コップを洗ったり洗濯機を回したり、台所の床を磨きたてたり。

浩さんには、それはいい徴候に思われました。本気の家出じゃないのよ、と、美弥子さんが自分に耳打ちしてくれているように。

14

がらんとした家のなかで浩さんが生卵かけごはんをたべ、ジョーンズさんと美弥子さんが二人でお鮨屋さんに行ったそのおなじ夜に、ナタリーはお友達の家でお酒をのんでいました。ジェレミーという名のこのお友達はかなり成功したアーティストで、やはり近所に住んでいるのですが――この街には、外国人がほんとうに大勢暮しています。暮しているだけじゃなく、旅行者もたくさん泊っていますから、幾つかの旅館は実質的に外国人専用の様相を呈していて、たまに何かを間違って日本人が泊ると、周囲から浮いてしまうほどです――、自宅の二階部分を私設バーに改装していて、連日のようにパーティ騒ぎをしているのでした。

室内は思いきり暗く、ランプシェードも、窓辺にびっしり吊された豆電球も、床やテーブルのそこここで揺らめく蠟燭《ろうそく》も、毒々しい緑色です。そのときどきでタイプの違う音楽が――けれど一様に大音量で――流れ、音楽に負けじと張りあげられる話し声や笑い声もろとも、下の道路にまでこぼれています。今夜ここには十人以上の人間がいて、ナタリーに聞き分けられただけでも四か国語が飛び交っていますが、日本語は――「カワイイ」「カンパイ」「アホヤン」などをべつにすると――聞こえません。ジョーンズさんやデレクのまわりの仲間たちとは、またべつな人種なのです。

ナタリーも、滅多にここには顔をだしません。騒々しすぎるのです。とくにこうして夜が更けてくると、誰も彼も――とりわけ女性は――陽気であることが義務でもあるみたいに声や身振りを大きくします（嬌声、と言っても差し支えのないような声さえあがります）。ナタリーにはできないことでした。

けれどその一方で、こういう人々に囲まれる必要を、感じることがあるのもまた事実でした。ここでなら、自分が目立たないことをナタリーは知っています。まわりはみんな――インド系イギリス人や、アフリカ系フランス人もいるにはいましたが、おおむね――白人で、しかもナタリーに関心を持っていない人々でした。複数の言語の波に揺られながら、黙っていたければ黙っていればいいのですし、のみたければ好きなだけのむことができます。いまナタリーが手にしているジン・トニックは四杯目か五杯目で、その前にはシャンパンを一杯と、ワインを二、三杯のんでいました。もしデレクかジョーンズさんがいたら、とっくにグラスをとりあげられているはずです。

きょう、ナタリーはお葬式に行ってきたのでした。恋人である岡田さんの、お父さんのお葬式です。一年近く、苦しい闘病をした末のことでしたから、その苦しみからようやく解放された、と、言えば言えなくはありません。けれどやはり、とても悲しいことでした。

ナタリーにとって、亡くなった岡田さんは、恋人のお父さんであるよりずっと以前から、大好きな「シニョール・オカダ」でした。商社マンで、若い頃ながくミラノに住んでいた彼は、ヴェネトにワイナリーを所有しているナタリーの両親と大変親しく、子供だったナタリーのことも可愛がってくれていました。夫婦揃ってイタリアが気に入り、その後任地が変ったり日本に帰国したりしても、年に一度はイタリアに旅行に来て、その度にヴェネトのヴィッラに滞在してくれるのでした。ナタリーが日本の美術に興味を持ち、陶芸の道に進んだのも彼の影響や助言があってのことです。美しいものをたくさん贈ってくれましたし、見せてもくれました。

結婚に失敗し、その痛手から回復しきれずに実家でくすぶっていたナタリーに、思いきって日本に来てみてはどうかとすすめてくれたのも岡田夫妻でした。ナタリーの両親も、彼らがいたからこそ娘の移住を――最初は留学でしたが――認めたのです。

そういうわけでしたから喪失感は大きく、ナタリーは危篤の知らせを聞いた瞬間から、体のどこにも力が入らず、思考もまとまりを欠いてしまって、作品を出品したデパートの展示即売会にも、初日に顔をだすのが精一杯でした。そこに持ってきて、きのうのお通夜ときょうのお葬式で、恋人の妻と子供たちが――勿論、当然だということはナタリーにもわかってはいるのですが――、恋人にぴったりと寄り添い、涙にくれながらも気丈に恋人を支えようとしている姿を目のあたりにしました。妻や子供たちよりずっと古くから、ナタリーは「シニョール・オカダ」と交流を持ってきましたし、その息子である少年のことも知っていました。少年は大人になり、ナタリーも大人になりました。そして――。

いきなり肩を抱かれ、頬に唇が押しあてられ、ナタリーの物思いは中断されます。肩にまきついた腕の細さや、ばさりとかぶさってきた髪、それにフリージアに似た香水の軽い匂いにも拘らず、ナタリーはほんの一瞬、恋人の岡田氏に違いないと思いました。あり得ない、と誰に言えるでしょうか。この場所について何度も話したことがありますし、ナタリーが、酔いたいときにはここに来ることを岡田氏は知っています。そりゃあ――と、酔眼朦朧《すいがんもうろう》としたナタリーはさらに考えます――、ここはお店ではないから、誰でも入れるっていうわけではないけれど、ナタリーを探してると言えば、たぶん誰かが――。

女友達のつめたい指が、ナタリーの頬から涙を拭ってくれました。ジェレミーの妹で、ミシェルの恋人でもあるトルーディでした（ここの人間関係は、多分に入り組んでいるのです）。

「うーっ、どうしちゃったのお？」

足元も覚束ないほど酔っ払ったトルーディは、怪我をした動物に子供が使うみたいな、同情に溢れた顔つきと赤ちゃん言葉で尋ねます。

「かわいそーに」

ナタリーは、この女友達をあまり好きではないのですが――それを言うなら、ここにいる人の大半は苦手でした――、このときばかりは同情をつっぱね、皮肉な言葉を返す力が残っていませんでした。

「何でもないの。酔っ払っちゃったみたい。もう帰った方がよさそうね」

それで素直にそう言いました。うっかり垂らしてしまわないよう、洟《はな》をすすりあげながら。スツールをおりたとき、あけ放した窓の外に、白い大きな満月が見えました。

翌日、ナタリーが目をさましたのは十時をすぎてからでした。着ていたものは下着まですべて床に落ちていて、一糸まとわぬ姿でベッドに入ったようでした。カーテンの隙間から、いかにも秋の終りらしい、澄んだ金色の日ざしがこぼれています（ナタリーの部屋は、日あたりだけはいいのです）。

コーヒーメーカーのスイッチをいれ、シャワーを浴びました。バスタオルをまいたままの恰好でコーヒーをのみます。携帯電話を見ると、恋人の岡田さんからのメイル――会葬のお礼と、早く会いたい、ずっときみを想っている、という言葉――が届いていましたので、だいぶ気分がよくなりました。

ゆうべはとり乱してしまった。

ナタリーは反省します。自分を理性的な人間と定義しているナタリーですから、とり乱すというのは自分への裏切りです。

肌ざわりのよさが気に入っている二枚重ねのTシャツと、ゆったりとしたスウェットパンツ——地味だけれど自分らしい、と、ナタリーが考えている服装です——を身につけると、さらに気分がよくなりました。空腹でしたから、オレンジをむいてたべました。

きょうは工房が休業ですし、イタリア語講師のアルバイトは夕方からです。ナタリーは、ジョーンズさんに会いに行くことに決めました。即売会の準備や打合せ、岡田さんのお見舞などに追われてしばらく行っていませんでしたし、金曜日はジョーンズさんの授業が午前中だけであることも、ナタリーは知っています。

財布と部屋の鍵をポケットに入れ、読みかけのペーパーバックだけを持って、ナタリーは晴れた外にでました。

ジョーンズさんの部屋で、べつな誰か——学生さんとか、エリカちゃんを連れたデレクとか——にでくわすことは、これまでにもありました。けれどきょうのそれは、ナタリーにとってちょっとした不意打ちでした。白いブラウスに紺色のスカート、紺色のカーディガンという恰好の美弥子さんが窓辺に坐り、まるい木枠をはめた布に、何やら刺繍をしているのでした。うす暗い部屋のなかで、その姿はナタリーに、スイスあたりの空港に売っている、素朴な民族人形を思わせせました。

「まあ」

ナタリーを見ると、美弥子さんはあわてて立ち上がり、

「こんにちは」

と、言いました。困惑ぎみの笑みを浮かべて。

「あの、ジョーンズさんはもうすぐ帰られると思います。そうおっしゃってたから。私も待ってるところなんです。ええと、お昼をご一緒することになっていて」

言い訳してる。ナタリーは思いました。

「ふうん、そういうことになっちゃったわけね」

部屋にあがり込みながら英語で言うと、美弥子さんはいかにも邪気のない様子で、

「パードン・ミー？」

と、訊き返し、ナタリーの意表をついたのでした。

ナタリーがやってきたとき、美弥子さんはこの部屋でいちばんあかるい窓辺に坐り、刺繍をしながら——道具は、今朝家に帰ったときに取ってきました。何かすることがないと落着かない性分なのです——、ゆうべの、とても信じられないような出来事を反芻しているとこ

ろでした。

きのう、美弥子さんがジョーンズさんに、行くところがあるので今夜は泊らないと言ったのは、ほんとうのことでした。いつもお義母さんと昼懐石をたべる新宿のホテルに、部屋を予約していたのです。ジョーンズさんは、キャンセルすればいいと言ってくれました。家に帰るのならともかく、ホテルなんてばかげている、自分はまた台所で寝るから、と。でも美弥子さんは、自分と浩さんとの問題に、これ以上ジョーンズさんを巻き込むわけにはいかないと思いましたから、断固新宿に行くと主張しました。

「じゃあ、せめて送らせてください」

ジョーンズさんは言い、二人はお鮨屋さんから駅に向かって、夜道を歩いたのでした。美弥子さんは、両手をコートのポケットに深く入れて歩きました。そうしないと、手をつないでしまいそうでしたから。

「この墓地には、鳩山一郎が眠っています。横山大観も」

ひょうたん横丁を歩いているとき、ジョーンズさんは言いました。それは駅の方向に向う道であるとはいえ、お鮨屋さんの場所を考えると遠まわりでした。そのあと、ぎんなん通りからもみじ坂をのぼらずに、がらんとした諏方《すわ》の道に戻ったのですからなおさらの遠まわりです。まだ九時にもなっていませんでしたけれど、そのあたりには人けがなく、民家の窓のあかりに照らされて、野良猫が道の端で毛づくろいしていたりしました。

美弥子さんは、ジョーンズさんのそばを離れたくない気持ちでいっぱいでした。その上、隣を歩いているジョーンズさんからも、おなじ気持ちがこわいくらいこぼれ落ちてくるのです。恐怖が——何に対する恐怖なのかわからないまま——ふくれあがり、喉元までせりあがって息苦しいほどでした。実際、手も足もすこし震えていました。

美弥子さんにとって、それは二人で何度もフィールドワークをした街でした。二人の、街です。

立ち止まったのはブリキ屋さんの前でした(美弥子さんは、そこにそういうお店があることを知りませんでしたが、あかりの消えた風格ある建物のガラス戸に、「鉱力」と大きく力強く書かれていたのを憶えています)。白いまるい月が、夜空を冷やすようにぽっかり浮かんでいました。たどりつきたくない場所に向って、わけのわからない恐怖でいっぱいになりながら歩くのは、もう限界でした。

美弥子さんは両手をポケットからだして、ジョーンズさんにしがみつきました。あるいは、ジョーンズさんにかき抱かれました。

ドアがあいたのは、美弥子さんがその抱擁を、そのあとに続いたさまざまな性的行為の結果であるぼんやりした疲労のなかで、現実離れした甘美さと共に回想していたときでした。

顔は見知っている、でも名前の思いだせない白人女性が立っていました。

「まあ」

美弥子さんは言い、こんにちは、と挨拶をしたあとで、ジョーンズさんが留守であること、でもじきに戻ってくることを説明しました。自分がここにいることの理由も何か言わないといけない気がしましたので、

「私も待ってるところなんです。ええと、お昼をご一緒することになっていて」

とつけ足しました。

その女性は畳をきしませて部屋に入り、ゆったりした——でも癖のある——英語で何か言ったのですけれども、美弥子さんには聞きとれませんでした。まあ困った、日本語ができないんだわ。美弥子さんは思いました。

「ごめんなさい、いま何て？」

それで、英語で訊き返しました。

「ナッシング」

ぶっきらぼうな返事があり、女性は畳のまんなかに、美弥子さんに背を向ける形で坐ります。

胡坐《あぐら》？

美弥子さんはめんくらいましたが、人には人のやり方があるのだと思い直しました。

「あの、前にお会いしてますよね。私、澤井美弥子です」

たどたどしくはなりましたが、何とか英語でそう言ってみました。

マイネームイズミヤコサワイ。

ナタリーは美弥子さんの名前を知っていました。けれどこうまではっきり――子供用の教科書にでてくるみたいな英語で――名乗られて、名乗り返さないわけにはいかなくなりました。これ以上話しかけられたくはありませんでしたので、自衛としていかにも面倒臭そうな声と口調をつくり、

「ナタリー」

と、上体をひねってうしろを向いて、形式的に片手をさしだして言いました。

立ったままだった美弥子さんは慌てて坐り、握手をしたあとで不思議そうな顔になり、

「ユー、スメル、オレンジ」

と言います。ナタリーは、また意表をつかれました。

「ええ、いまたべてきたの。鼻がいいのね」

心ならずも苦笑しながら、ナタリーは言いました。

その日、ジョーンズさんは授業のなかで、ステファン・ショアというアメリカの写真家と、本城直季という日本の写真家の写真集を、学生たちに回覧させました。二冊とも、風景

ばかりの写真集です。物を見る、ということについて考えさせるつもりでした。写真家がファインダーを通して、人々が印刷された紙を通して、世界を見るということについて。中くらいの大きさの教室は四階で、窓から澄んだ青空が見えます。秋晴れだ、と、ジョーンズさんは思いました。

お昼には帰りますから待っていて下さいね。

今朝、ジョーンズさんは美弥子さんにそう言って、アパートをでてきました。だからといって彼女が待っていてくれるという保証はないわけでしたけれど、ジョーンズさんには確信がありました。

ゆうべ、朝倉彫塑館《あさくらちょうそかん》の前の道で（それは勿論ブリキ屋さんのある道です）、奇蹟のような抱擁を交した瞬間に、新宿のホテルとか台所で寝るとかいうナンセンスは木端微塵《こっぱみじん》に吹き飛びました。互いに相手から離れられないと、強く烈しく感じたのです。

そして――。

ジョーンズさんが驚いたことに、美弥子さんは奔放でした。アパートに帰りつくや否や、二人は唇を合わせ、互いの身体を確かめるように着衣のままあちこちに――ほんとうにあちこちに――手をはわせて、電気をつけるまももどかしく――実際、ジョーンズさんは首に美弥子さんの両腕を、右足に美弥子さんの左足を、まきつけたまま何とか腕を壁にのばしてスイッチを入れたのでした――、壁際で服を脱がせあい、そのまま畳の上で、大急ぎで愛を交わしました。なぜ大急ぎだったのかは、ジョーンズさんにもわかりません。けれどたしかに二人とも、呼吸が速まり気もはやっていたのです。

いったんは服を着て、ウイスキーとサイダーのグラスを手に坐り、落着いておしゃべりをたのしむ態勢を整えた二人でしたが——そしてこのときジョーンズさんは、気がすすまない様子の美弥子さんに、萩中のお母さんにだけは電話をしておいた方がいいと話しました。いくら「対岸」にいるとしても、しなくていい心配は、させない方がいいに決っていますから。美弥子さんは、あした必ず電話をすると約束しました——、落着いておしゃべりをたのしめる気持ちではない、とすぐにわかりました。

それで布団を敷き、ついいましがた畳の上でしたことを、今度はゆっくり時間をかけて、幸福が目の前にあって触《さわ》れることの驚きに何度でも打たれながら、しました。

女性と身体を重ねる快楽を、人生の与えてくれる様々な喜びのなかでも比較的重要度の高いものと考え、年齢なりの経験は積んできたつもりのジョーンズさんでしたけれど、ゆうべ布団のなかで起きたことは、とてもほんとうとは思えない、すばらしい、これまでに一度も、経験はおろか想像もしていなかった、ことでした。

ジョーンズさんと美弥子さんは、何も奇抜なことをしたわけではありません。圧倒的な幸福感のなかで、むしろおずおずと、互いの身体を知り合いにさせただけです。出会った両者の、初々しい喜び!

ジョーンズさんがもっとも驚いたのは、あの小柄な美弥子さんがふくらんだことです。美弥子さんの白い肌が目の前いっぱいになり、ジョーンズさんは美弥子さんに、包まれたと言っても過言ではありません。

「どうですか？」

写真集が手元に戻ってくると、ジョーンズさんは学生たちに言いました。

「対照的な二冊ではないですか？　たしかなものなど何もないと思えてくる。違いますか？」

誰かの待つ部屋に帰るというのは、ほんとうにひさしぶりのことでした。ジョーンズさんの足どりは軽快で、心は弾んでいました。空はどこまでも青く、空気はどこまでも乾いていて、アスファルトを転がる枯葉の音が、耳に気持ちよく届きます。

アパートのドアをあけると、そこでは美弥子さんとナタリーが、旧知の間柄のように親しげに談笑していましたので、ジョーンズさんはすこし意外に思いました（なんとなく、この二人は気が合わないだろうという気がしていたのです）。そばの畳に、ペーパーバックと刺繡用の輪っかをはめられた布が、無造作に放りだされています。

「やあ、来てたの」

ジョーンズさんは、いつものようにナタリーに言い、

「ただいま」

と、美弥子さんに言いました。

ただいま？　それを聞いてナタリーは呆れましたが、美弥子さんは悪びれもせず、

「おかえりなさい」

とこたえます。

「宿酔《ふつかよい》？　顔がむくんでるよ」

ジョーンズさんがナタリーに言い、ナタリーが、大きなお世話とこたえようとしたとき、こたえるより一瞬早く、美弥子さんが小さく息を呑み、

「あなた、日本語がわかるの？」

と、ナタリーに英語で訊きました。ジョーンズさんがナタリーに、日本語を使っていることに気づいたのです。ジョーンズさんにも状況がのみこめましたから、

「悪い子だね」

とナタリーをやさしく咎《とが》めてから、

「彼女は日本語を喋りませんけれど、理解はできますよ、おそらく完璧に」

と、美弥子さんに説明しました。

「まあ。それなのに私は下手な英語で話しかけてたのね」

美弥子さんは怒った口調をつくろうとしましたが、きまりの悪さが先に立ち、小さな声に

なりました。

「すごくいい英語だったわよ」

ナタリーは言い、ジョーンズさんに向き直って、

「彼女、アナーキーね」

と感想を述べました。それは、ナタリーにとっては、最上級の褒め言葉なのでした。


ジョーンズさんの提案で、そのあと三人は銘々商店街で好きなお惣菜を買い、初音《はつね》の森――というのはコミュニティ・センターの隣にある防災広場の名前ですが、街の人たちにとっては、緑豊かな公園です――の芝生に坐って、買ってきたお昼ごはんをたべることにしました。ジョーンズさんはおもに人間観察――カラフルなシートの上で母子連れがピクニックをしているかと思えば、一列になったベンチに、雀のように老人がならんで坐っています し、ゆるやかな傾斜面になった芝生の上に、カップルが寝そべっていたりもします。一度、木と木のあいだにハンモックを吊し、そこで読書している中年男性も見かけました――の目的で、以前からたびたびここを訪れていますし、ナタリーはおもに昼寝のために、ここをときどき利用しています。

「まあ」

美弥子さんは初めてでした。入口に記された「防災広場」という言葉が何となくいかめし

く、気軽に足を踏み入れられない気がしていたのです。

「いい公園ですね」

広々した場所に立ち、感心して言いました。木々の葉は気持ちよく乾いて、ところどころ黄色を帯び、日ざしを一層まばゆくしています。

三人は、天ぷら屋さんで天ぷらを、ねりもの屋さんではんぺんと竹輪を、とり肉専門店でやきとりを買ってきていました（それに勿論、缶入りのお茶を）。敷物の類は持っていませんでしたから、それぞれ間隔を適当にあけて、枯れた芝生に直接腰をおろします。

食事をするあいだ、三人はあまり喋りませんでした。もともと無口なナタリーにさえ、不自然に思える会話のすくなさです。ジョーンズさんはよく喋る人ですし、美弥子さんもさっきまではナタリーに、小学生なみの英語で果敢に話しかけてきたというのに。

やだ、この人たちやりたがってる。

ナタリーは思いました。そして、それは——まあ大筋において——正鵠《せいこく》を得ていたと言えます。ジョーンズさんも美弥子さんも、互いに相手の顔を見ただけで胸がいっぱいになり、お惣菜をのみこむのにさえ努力が要るありさまだったのです。

15

浩さんは、わけがわかりませんでした。

今夜も、美弥子さんは帰っていません。電気もついておらず、家は虚ろな表情で、浩さんを待っていました。それでいて、ゆうべと今朝の食器はきれいに洗われていて、ベッドは整えられ、鉢植えの土はしっとり保たれているのです。

昼間、会社に美弥子さんのお母さんから電話がかかり、浩さんは美弥子さんがお母さんに、電話をしたことを知らされました。お母さんによれば、美弥子さんは元気で、だから心配しないでほしいと、本人が言ったそうです。居場所を訊くと、「いま家」とこたえ、「でも着替えに帰っただけなの」とつけたしたそうでした。何があったのかと訊くと、「自分でもわからないの」という返事で、「わかったら、いずれママにも説明するけれど、その前にひろちゃんと話さなきゃ」と言ったとかで、だからもうすこし待ってやって、というのが、お母さんの言ったことでした。

悠長な。

というのが浩さんの思ったことです。母親なら、もっと詫びてくれてもよさそうなものではないでしょうか。母親も母親なら、娘も娘です。一体いつ帰ってくるつもりなのでしょう。美弥子さんが、浩さんではなくお母さんに電話をかけたということも、浩さんの自尊心を著しく傷つけ、不安を煽りました。

「まったく」

腹立たしげに——というのは、不安よりも怒りの方がまだ安全な気がしたからですが——呟くと、浩さんは缶ビールのプルトップをあけて、なかのつめたい液体を、喉に流し込みました。それから、帰りにスーパーマーケットに寄って買った食料——納豆、お豆腐、トマト、ハム、ポテトサラダ、焼いてある餃子や揚げてあるコロッケといった、そのまたべられる商品——を端から冷蔵庫にしまいます。認めたくないことではありましたけれど、お母さんからの電話を切ったとき、浩さんには美弥子さんが今夜もいないかもしれない気が、半分くらいしたのでした。あくまでも半分くらい、ですが。

でも、と浩さんは思います。でも、あしたは土曜日です。着替えのためだろうと植木に水をやるためだろうと、美弥子さんが帰ってきたら、そこには浩さんがいることになりますし(そのために、食料はたっぷり買い込んだのです)、そうなれば、すくなくともこのわからない状態には終止符が打てるはずだ、と。

おとといはつい激昂してしまった浩さんでしたが、いま、浩さんには、美弥子さんがその外国人と——というより相手が誰であれ——浮気をしたりするはずがないという、ほとんど確信に近い気持ちがありました。多少願望がまざっていることは否めないとしても、あのときの美弥子さんの反応――侮辱されたという怒り――は、何度思い返しても演技だとは考えられないものでしたし、そもそも美弥子さんという人は、浩さんのお母さんをさえ感心させるほど、古風で一途な人なのです。

あした、美弥子が帰ってきたら、あまり怒らないで家に入れてやろう。浩さんはそう決めて、つめたい夜ごはんをたべました。

美弥子さんにとって、その週末は驚きに満ちたものになりました。一日に何度も性交する、という事態そのものは、美弥子さんにも過去に経験がないわけではなく、浩さんとも、浩さんと出会う以前に交際していた男性とも、たしかにそういう時間の過し方をしたことがあります（そういえばあの人はどうしているかしら、どこかで元気にしているといい、幸せだといい、と、美弥子さんはジョーンズさんとの何度目かの性交のあとで、疲労と満足のあまりうとうとしかけながら思ったのですが、浩さんと出会う以前に交際していたその男性のことを、美弥子さんが思いだすのは随分ひさしぶり――すくなくとも、結婚して以来初めて――のことでした）。

ですから美弥子さんを驚かせたのは、一日に何度も性交するという事態そのものではなくて、朝から晩までそうせずにいられないという、ひさしく感じたことのなかった自分自身の欲望でした。おまけに、美弥子さんには自分のその欲望が、何かとても健全な、正しい、神々しいことのように思えるのです。

そんなのはへんだわ。美弥子さんは、勿論自分で自分を窘《たしな》めようとしました。私には夫がいるのだから、夫以外の男性との性交は、もっと陰気で、うしろ暗くて、不安で、辛いものであるはずだわ。もっと卑劣な、もっとこそこそした、もっといたたまれないものであるべきじゃないかしら。

そうではない現実を前に、いくら言葉を重ねても役に立ちませんでした。美弥子さんの身体はジョーンズさんがトイレに立つとか台所へ行くとかするだけで淋しがり、ジョーンズさんの身体も――ジョーンズさんがしみじみ幸福そうに、また、ときにはほとほと困ったという口調で、そのたびに報告してくれるのでわかるのですが――、美弥子さんがいなくなると途端にざわざわして、ジョーンズさんに不満を訴えるのでした。そこで二人は急いで肌を密着させます（他にどうしようがあるでしょう、自分たちの身体が、迷子になった三歳児のようにおろおろしているとしたら）。すると、両者――というのは二人の身体のことですが――はたちまち安心し、空腹を満たされた赤ん坊みたいに、穏やかに寝息を立て始めます。その単純さが可笑しくて――そして勿論嬉しくて――、美弥子さんもジョーンズさんも、微笑まずにはいられないのでした。

まる二日間、二人はアパートから一歩もでずに、一日の大半を布団にくるまって、眠ったり睦み合ったり、お喋りをしたりして過しました（このときばかりは、ジョーンズさんの部屋のドアにも鍵がかけられていました）。お腹が空けば、ベーグルや缶詰めのコンビーフ、冷凍のピザやお好み焼きをたべます。美弥子さんは着替えを持っていませんでしたけれど、ほとんど裸かそれに類する恰好――というのは、ジョーンズさんが丹前を貸してくれたのです。こげ茶の地に金茶の縞の入ったその丹前が、美弥子さんは気に入りました。ジョーンズさんは、冬になるとそれをガウン代りに、パジャマに羽織って使うのだそうです――でいましたから、不潔で惨めな気持ち――一枚しか服がなければ、誰だってそうなるはずだと美弥子さんは思います――にはちっともならずに済みました。

「私、なんだか遭難した人みたいだわ」

素肌に丹前だけを着た姿で、クリームチーズをつけたベーグルをかじりながら美弥子さんは言いましたが、それは決して不快さの表明ではなくて、むしろ愉快な、自由な気持ちの表明でした（その証拠に、美弥子さんはそう言ったとき、くすくす笑っていました）。

そして、そんな美弥子さんはジョーンズさんの目に、とても大きく新鮮に見えました。誰のものでもない、のびやかな一人の女性に。

事ここに至って美弥子さんは認めないわけにいかないのですが、世界の外にでてしまうと、性交は徹頭徹尾健全で、とても自然なことなのでした。

一方で、勿論美弥子さんも気づいてはいました。世界の内側にいる人たちから見たら、自分がどんなふうに見えるかということに。

不倫妻だわ。

胸の内で呟きます。色狂いだわ。姦通罪だわ。でも、まさか。

そういう、いやなおどろおどろしい言葉たちは、ジョーンズさんのそばで思い浮かべる分には美弥子さんに危害を加えられないようでした。向うの人たちの歪んだ概念、いっそおもしろい冗談、だとしか思えないからです。けれど一たびジョーンズさんがおなじ空間からいなくなると、巨大なたこ入道か何かのように、太いたくさんの腕を一斉にのばし、つかみ、まきつけ、考えたくもない暗い深い哀しい闇に、美弥子さんをひきずりこもうとするのでした。

たとえば、日曜日の深夜に歯を磨いているときがそうでした。両手で水をすくって口を濯《すす》ぎ、タオルで拭って鏡を見た瞬間に、自分のいまいる場所、いましていること、のおそろしさが、濡れたつめたい腕で美弥子さんの心臓をつかんだのです。ひきうけるわ。美弥子さんは懸命にそう思おうとしました。自分のしたことだもの、ひきうけるわ。けれど心細さをふんだんに発散しているのは他ならぬ美弥子さん自身で、それが底冷えのする狭い暗い湿った洗面所いっぱいにひろがり、美弥子さんを包囲するのでした。

美弥子さんには、自分が不倫妻になるなど想像もできないことでした。けれどこれは、どこからどう見ても不倫現場です。美弥子さんは、鏡に映った自分の姿を凝視しました。化粧けのない小さい顔が、鏡のなかからこちらを睨み返しています。たっぷりした丹前の隙間から、ごくささやかな乳房と白いお腹がのぞいています。大人の服を着た子供のようで、それがことさらいやらしげです。

あっというまに転落してしまった。美弥子さんは思いました。

転落?

自分の言葉に自分で戸惑い、眉根を寄せます(理解しにくいことを理解しようとするときの、それがこの人の癖でした)。私は転落したのかしら。でも、どこから?

美弥子さんは、鏡のなかの不埒な服装の女性から目をそらし、急いでジョーンズさんの元に戻りました。まる二日間敷かれっぱなしの、一人用の布団のなかに。

快晴でしたので、月曜日の朝——といってもお昼近かったのですが——、ジョーンズさんと美弥子さんは力を合わせて布団を干しました。窓の外の手摺だけでは干しきれませんので、ドアの外、廊下の手摺も使います。

「こちら側の方が、まだ多少日当りがいいんです」

水に溶かした蜜みたいに薄い日ざし——きのうから十一月です——のなかで、手際よく布団叩きを使いながら、ジョーンズさんは言いました。ジョーンズさんにとっては見慣れた、アパートや小ぶりな住宅のひしめく眼下の道を、美弥子さんが隣でじっと見つめています。おなじ町内でも、このあたりは美弥子さんの家の周囲——大きな邸宅の建ちならぶ、坂の上の街並——と、だいぶ趣が異なります。

「あの人たちにとっては」

美弥子さん——勿論もう丹前姿ではなく、白いブラウスに紺色のロングスカート、紺色のカーディガンという、金曜日に着ていた自分の服を着ています——は言いました。

「私がここにいることなんて、驚きでも何でもないんでしょうね」

「あの人たち?」

「歩いている人たちとか、ちゃんと自分のお家に住んでいる人たち」

つまり世界の内側にいる人たち。最後だけは胸の内で言い、美弥子さんは眼下の道とその周辺の建物を、くるくると指で輪を描くように曖昧に指さします。ジョーンズさんはすこし考えて、

「僕にとっては」

と、言いました。

「僕にとっては驚きですよ。嬉しい驚きだ」

それから二人は部屋のなかに戻り、冷凍庫に残っていた最後のベーグルを分けあってたべ、おいしい緑茶——美弥子さんはこの週末に知ったのですが、ジョーンズさんはお茶をい

れるのがとても上手です――をのみました。

美弥子さんの目に、ジョーンズさんはこれまでとは違うふうに見えました。髪の生え際とか、なめらかに上下する喉仏とか、これまで意識しなかった身体の部分の美しさにはっとさせられますし、笑うときに頬に入るたてじわや、形のいい大きな手といった、以前から知っていたはずの一つ一つの特徴が、はじめて目にするもののように素晴らしく映ります。ジョーンズさんの話す丁寧で美しい日本語の奥にさえ、行為のあいだに唇からもれるやわらかな声の余韻が聞こえ、どきりとさせられるのでした。

ジョーンズさんの目にもまた、美弥子さんはこれまでとは違うふうに見えました。美弥子さんの身体がふくらむことをジョーンズさんは知っていますし、いつもきれいに切り揃えられているおかっぱの髪が、乱れて顔にかかるとどんなふうに見えるかも知っています。美弥子さんの腕一本分、脚一本分の正確な重ささえ、いまでは思いだせるのです。

「あなたは自分がどんなに魅力的な女性か、わかってるんですか?」

布団が干され、再びがらんとした薄暗い部屋のなかで、ジョーンズさんは言いました。

「その言葉、そのままお返しします」

美弥子さんも礼儀正しくこたえます。どちらも心からの言葉でしたし、二人とも、いまにも自分が相手に触れてしまいそうで――そうしたくてたまりませんでしたから――、触れずにいるためにありったけの自制心を動員していました。

「僕は午後から授業なので銭湯に行きますけれど、いかがですか、一緒に」

ジョーンズさんは言いましたが、美弥子さんが首を横に振るであろうことは、なんとなく予測がつきました。

「ありがとうございます。でも、私はそろそろ家に帰って、ひろちゃんと話をしなきゃ」

美弥子さんは言いました。浩さんが帰ってくるのは夜ですが、だからといって夜まで外にいていいというわけではないことは、美弥子さんにもわかっています。ジョーンズさんはうなずきました。

「きょうは夜学でも授業があって、帰りがすこし遅くなりますが、」

ジョーンズさんは、いったんそこで言葉を切って、美弥子さんをじっと見つめます。欲望と信頼と友愛をまぜこぜにして、沸騰寸前まで熱したみたいな眼差でしたから、美弥子さんにはジョーンズさんの言おうとしている言葉が、実際に聞く前から、言葉にされなかった思いまで含めてわかりました。

「僕はいつでも待っていますから」

そして、美弥子さんとジョーンズさんは、このときはじめて携帯電話の番号を、いつでも連絡がとりあえるよう、教えあったのでした。

アパートの前で、美弥子さんは銭湯に行くジョーンズさんと別れました。ジョーンズさんは右に、美弥子さんは左に行くのです。

「ご連絡します」

それが、美弥子さんがジョーンズさんに言ったことでした（「必ずですよ」というのが、それに対するジョーンズさんの返答です）。どちらも思いきりうしろ髪をひかれ、離れたくない気持ちでいっぱいでした――実際、地球の引力のすべてが、二人のあいだに結集したかと思われるほどでした――が、それを口にだす必要はありませんでした。相手もおなじ気持ちであることが、手にとるようにわかったからです。こういう状態は、別れ際であっても人を充足感で包むものです。

歩きながら、美弥子さんもそれに包まれていました。充足感は勇気を生みますし、美弥子さんにはいま、ぜひとも勇気が必要でした。この先に待ちうけるものが何であれ、美弥子さんはそれに、一人で対処しなければならないのですから。

きちんとしなきゃ。

美弥子さんは思います。いまや私は、名実共に不倫妻になってしまった。だったらせめて、きちんとした不倫妻になろう。

そこで、美弥子さんはまっすぐ家に帰るのはやめ、商店街に行って、夕食の買物をしました。もしかしたら、浩さんのために準備する最後の夕食になるのかもしれない、と考えながら。

きちんとしよう、と決めると元気のでる美弥子さんですから、このときも、夕食の献立を頭のなかで即座に組み立て、必要な食材を無駄なく――それでいてたっぷり――買うことができました。朝食のヨーグルトに入れる蜂蜜が残りすくなくなっていたことも思いだしましたので、ちゃんとそれも買いました。すべきことがあり、順序や効率を考えつつしっかりとそれをする、というのは美弥子さんの得意とするところです。

両手にいっぱい荷物を持って、門をあけ、階段をのぼります。ああ、植木に水をやらなきゃ。目の端で、見るからにかさかさしている葉をとらえ、そう思いました。

美弥子さんがドアをあけると、家は、嘘のように安心感に満ちていました。三日前にシャワーを浴びに――そして刺繍の道具をとりに――帰ったときにはあんなによそよそしかったのに。美弥子さんはびっくりし、多少拍子抜けもしながら、なつかしい匂い――自分の家の匂いです――をすいこみました。下駄箱、床、壁、銅版画、なにもかもいつもどおりです。

なんだか、旅行から帰ったときみたい。

美弥子さんは思いました。

室内は散らかっていましたから、美弥子さんにはすべきことがたくさんありました。けれどまず換気です。それからバスタブにお湯をはり、何日ぶりかでゆっくりお風呂に入りました。グレイのタイル、愛用しているパッションフルーツの香りのボディ・シャンプー。美弥子さんは、まさに旅行から帰った人のようにほっとして、気持ちのいいため息をつきました。すべてがあるべき場所にあり、あまりにも自然です。

　美弥子さんは、水曜日の夜に家をとびだしてから今朝までに起きた出来事を、今夜ちゃんと浩さんに話すつもりです。きちんとした妻なら——不倫妻であろうとなかろうと——そうする必要がありますし、自分の裸体を見おろせば、行為に明け暮れた週末の甘い記憶が有無を言わさず立ちのぼり、美弥子さんに、いまさっきとはまた別の、幸福なため息をつかせもするのです。家のなかがどんなに普段通りであろうと、ジョーンズさんとのあれこれが紛れもない現実であることを、思いださせるかのように。


　間違っても乗り越えたりされないように、高い塀をめぐらせて建てた家でしたから、浩さんは玄関のドアをあけてはじめて、美弥子さんが帰っていることを知りました。まずあかり、次に気配。たしかめるために床に目を落とすと、思ったとおり、美弥子さんのスリッパがありません。

　浩さんの胸に湧きあがったのは、ひたぶるな、安堵でした。身体の力が一気に抜けます。奥さんが帰ってきたのです。

　急いではいけない気がして——急いては事をしそんじる、というのが、浩さんの頭に浮かんだ言葉でした——、努めてゆうゆうと靴を脱ぎ、努めてゆうゆうと廊下を進みます。勿論美弥子さんに言うつもりはありませんでしたが、浩さんは、ともかく帰ってきてくれればいい、という心境に、すでに達していました。おそらくグラタンと思われる、香ばしく食欲をそそる匂いが漂ってきて、浩さんはリビングに続くドアをあけました。

ドアをあけた浩さんの言った言葉は「ただいま」でしたから、美弥子さんは、「おかえりなさい」とこたえました。それから叱責——あるいは詰問——に備えましたが、浩さんは何も言いません。

「怒らないの?」

美弥子さんは、質問というより覚悟のしるしに言ってみました。

「グラタン?」

浩さんは尋ねます。まるで新婚早々の夫のように、照れくさそうな笑みを浮かべて。

「ええ、マカロニグラタン。寒くなってきたからおいしいかと思って」

尋ねられたらこたえることが習い性となっているので、美弥子さんはこたえましたが、すぐに続けて、

「でもそんなことじゃなく、怒らないの?」

と、もう一度言ってみました。

怒らない方がいい、と、浩さんの直感が告げていました。質問もしない方がいい、すくなくとも今夜のところは、と。

「いいね。腹へったよ」

それでそうこたえました。テレビをつけ、靴下を脱ぎます。

美弥子さんは眉根を寄せました。一体どういうことでしょう。ついこのあいだは、あんなにひどい剣幕だったのに。

浩さんの目に、美弥子さんはなんだか美しく見えました。勿論、美弥子さんは記憶にあるとおりの美弥子さんです。小柄で、いつでもお風呂あがりみたいに小ざっぱりとしていて(もっとも、きょうの美弥子さんは実際に、午後にお風呂に入っていたわけですが、それは浩さんのあずかり知らぬことです)。でも、美弥子さんの放つ気配の何かが妙に美しく、生々しく、浩さんをはっとさせ、怯えさせもするのでした。

それにしても――。

着替えのために二階にあがり、美弥子さんの存在から解放されると束の間緊張をとき、浩さんは思いました。それにしても、この家のなかはあいつ――というのは美弥子さんです――がいるのといないのとで、全く違う場所になる、と。お料理の匂いが漂っているだけでも素敵です。ここ数日暗く陰鬱だった浩さんの家が、廊下や洗面所といった、団欒とは関係のなさそうな場所まで含めて、俄然いきいきと暖かげになるようなのでした。どういう塩梅《あんばい》でそうなるのかはともかく、この家が――ということはつまり浩さん自身が――彼女を必要としていることはたしかなのでした。

菠薐草《ほうれんそう》のサラダにドレッシングを馴染ませながら、美弥子さんはどうしていいのかわかりませんでした。着替えを済ませた浩さんはテーブルにつき、まるできのうもおとといもここに美弥子さんがちゃんといて、だから問題はなにもない、とでもいうように、グラスにビールが注がれるのを待っています。それればかりか、気がつけば美弥子さん自身も、サラダを取り分け、向いに坐ってビールを注いでいるのです。あとは焦げ目をつけるだけ、というところまで火を入れておいたグラタンはいまにも焼きあがるところですし、お鍋のなかにはきのこ汁が、最後にだせるよう、もうできあがっています。テレビの音、それに気をとられながらサラダをつつく浩さん、何もかもが、あまりにも普段どおりです。

あれはみんな、幻だったのかもしれない。

美弥子さんは、あやうくそう思いそうになりました。ジョーンズさんとの週末も、雨の夜の浩さんとの口論も、甚しく現実離れしたことに思えます。

「たべないの？」

浩さんに笑顔で促され、美弥子さんは箸をとりました。このまま——。食事をしながら、美弥子さんは考えずにいられません。このまま、ここでこうして暮していくこともできるんじゃないかしら。だって、ひろちゃんはあきらかにそれを望んでくれているようだし。

美弥子さんにもそのことはわかりました。何もなかったかのようにふるまっているのみならず、きょうの浩さんはいつになく――正確に言うなら二人きりのときとしては近年になく――感じがいいのです。美弥子さんのグラスがまだ空かないうちからビールを注ぎ足してくれたりしますし、料理をいちいちほめてくれたりもします。しかも、この人が誰かの好感を得たいときにだけ見せる、相手の目を見て浮かべるまっすぐな笑顔でです。テレビに熱中しているふりをしながら、浩さんが美弥子さんの一挙一動に全力で注意を傾けていることが、美弥子さんにはわかりました。

なつかしい、と、美弥子さんは思います。昔、ひろちゃんはたしかにこんなふうだったわ。

昔、というのは結婚する前のことです。浩さんは美弥子さんを好きになり、美弥子さんを欲しいと思い、そのためなら努力を惜しみませんでした。そうだった。美弥子さんは思いだし、その記憶の波の荒々しさにたじろぎます。お友達みんなででかけても、浩さんが美弥子さんだけを、あきらかに特別扱いしてくれたこと、テーブルの下で膝をぶつけて、「でよう」の合図を送ってくれたこと、美弥子さんを喜ばせるために、自分では興味のない映画や、パッチワーク・キルト展や、チョコレート専門店に連れていってくれたこと、街を歩いていて、美弥子さんが何の他意もなく「素敵ね」とか「可愛いわね」とか言った衿巻や鞄を、そのときではなく次のデートに、こっそり買って持ってきてくれたこと、会えば必ず萩中の家まで送ってくれて、お父さんやお母さんにも、とても礼儀正しく接してくれたこと、スキー場の初心者用ゲレンデで——勿論、浩さんは上級者コースを滑りたかったはずですが——、辛抱強く美弥子さんにコーチしてくれたこと。

いまや、美弥子さんは記憶の洪水に呑みこまれそうでした。あんなふうに自分に執着してくれた、浩さんへの愛情と感謝が暴力的なまでに迫上《せりあ》がり、ジョーンズさんとのあれこれも、この現実の前では急速に実体を失い、あやふやなものに思われてきます。このまま何もなかったことにしてしまいたい、という欲求に、ほとんど抗い難いほどでした。

「私、ずっとジョーンズさんのところにいたの」

だからこそ、美弥子さんはそう言ったのでした。不倫妻になった上に嘘までついて、しかもその嘘の上に結婚生活を成り立たせ続けるというのは、浩さんの誠意への冒瀆《ぼうとく》であるばかりか、自分たちのあの輝かしい過去や、結婚生活そのものに対する冒瀆でもあると思ったからです。

「それでね、あのときひろちゃんが詰ったようなことも、したの。あのときはしてなかったんだけど、世界の外にでてしまったから、したの」

美弥子さんは覚悟していました。怒声も、痛罵も、離婚も、もしかすると暴力さえも。すでに食事を終え、リビングで夕刊をひらいていた浩さんが最初に思ったことは、やっぱり、でした。美弥子さんが浮気などするはずがない、とほぼ確信していた浩さんですが、奇妙なことにそれ——やっぱり——が、あたかもずっと待ち構えていたかのように、即座に心に浮かびあがりました。次に思ったのは、何で言うんだ？　で、浩さんは、それをそのまま口にしました。

「何で言うんだ？　そんなこと」

どうでもいいよ、と吐き捨てて、また夕刊に戻ります。

浩さんの癇癪が時間を置いて破裂するのを、美弥子さんは待ちました。けれど何も起りません。テレビ画面では、太った女性お笑いタレントが、何事か騒々しくまくし立てています。

「それだけなの？」

美弥子さんは訊きました。

「私を追いださないの？」

浩さんの返答は、

「何で俺がわざわざそんなことしなきゃいけないんだ？」

でした。美弥子さんは愕然とします。勿論、聞きたくない話だろうということは、美弥子さんにもわかっています。でも、だからといって、聞かずにすませられるものでしょうか。もし逆なら――。美弥子さんは考えてみずにはいられません。もし逆で、浩さんが他の女性を好きになり、その人のところに五日も居候していたとしたら、一体どういうことなのか、美弥子さんは知りたいと思うはずです。一体なぜそんなことになったのか、その人はどういう人なのか、美弥子さんになくてその女性にある良さというのはどこなのか。そして、もし浩さんを好きならば、美弥子さんはその女性から、浩さんを奪い返そうとするはずです。結婚生活を続けていこうとする限り、何度でも。

「私を追いだす気はないの?」

美弥子さんはもう一度訊いてみました。

「ないよ。しつこいな。やめてくれよ」

ぞんざいにこたえた浩さんが驚いたことに、美弥子さんは浩さんの手から夕刊をとりあげました。

「じゃあどうしてきちんと問いつめてくれないの? 何があったか、私が何を考えていたか、どうして知ろうとしてくれないの?」

「は?」

呆れ果てて、浩さんは言いました。浮気をしたのは美弥子さんです。無断で家を空けたのも、美弥子さんなのです。

「何で美弥子が怒るんだ? 何だそれ? どう考えてもおかしいだろうよ」

美弥子さんは、けれど怒ってはいませんでした。ひどく悲しい気持ちで、ジョーンズさんの言葉を思いだしていただけです。事実に打ちのめされてしまう人間もいる。美弥子さんは、自分がまさにいまその状態であることを、ぼんやり認識しながら言いました。茫然とす

るあまり笑みを浮かべて、

「ひろちゃん、もう私に執着していないのね」

と。

この女は頭がおかしい。

浩さんにわかったことは、それでした。

16

黄金色、と呼びたいほど鮮やかな黄色に染まった銀杏の葉が、あちこちで一枚ずつ木から離れて空中を舞う、十二月の午後です。冬仕度、という言葉がジョーンズさんの頭に浮かびました。日本語には、興味深い言葉がほんとうにたくさんあります。担ぐように提げたスーツ――クリーニング屋さんから受けとってきたばかりです――にかけられたビニール袋が、歩調に合わせてさりさりさりと鳴ります。

おせんべい屋さんの店先で、顔見知りのおばあさん――電器屋さんのおばあさんです――とすれちがい、ジョーンズさんは笑顔で会釈しました。おばあさんはセーターにスラックスという恰好ですが、上に、スモーキーピンクのダウンベストを着ています。

「素敵なベストですね」

ジョーンズさんは言いました。

冬の、大気の匂いがジョーンズさんは好きです。吸い込むと、自分の鼻腔ばかりか肺までも、きりりとひきしまる気がするからです。

アパートに帰ると、ナタリーが恋人の岡田さんと二人で遊びに来ていました。最近二人が凝っている——といっても、岡田さんはそもそも師範の資格を持っているそうですから、「二人でする」それに凝っているのだと思われますが——書道を、どういうわけかナタリーは、ジョーンズさんの部屋ですることを好みます（「ここの方が気分がでるんだもの」というのが本人の言い分でしたが、大きな半紙をひろげられるスペースが、ナタリーの部屋にはないというのが実際の理由でした）。

「またやってるの？」

ジョーンズさんは笑いながら言い、半分をクロゼットに改造してある押入れに、スーツをかけます。

「すみません、またおじゃましてます」

岡田さんが言いました。ジョーンズさんがこの人に会うのはまだ三度目ですが、日本人男性には珍しい——とジョーンズさんの思う——豪胆さと、いかにも芸術家らしい知性を併せ持つ人物で、会うなり意気投合したのでした。

部屋のなかには新聞紙が敷かれ、書き損じも含めて幾つもの個性的な作品が、あちこちに散らばっています。

「読めないのに書けるとはねえ」

ジョーンズさんは苦笑して、四つんばいになったナタリーの、集中力漲《みなぎ》る背中を眺めます。

「息子さん、今月ですね」

岡田さんが言い、ジョーンズさんは目元をほころばせました。

「ええ、二十九日に来て、二週間います。もうすこし早く来られるといいんですが、クリスマスはテキサスで過さなくてはならないらしくて」

フロリダで大学に通っているスティーブが、この冬休みにはじめて日本に来るのです。一緒に九州を旅する予定であることを、ジョーンズさんは話しました。勿論その前にこの街を、しっかり案内するつもりであることも（岡田さんは、そのときはぜひお袋の雑煮をたべに来てほしい、と言いました）。

手紙の最後にキスやハグのマークをいまだにつけてくれる娘さんのエレインと違って、スティーブはつねにリンダの味方なのですが、ジョーンズさんは彼のそのはじめての訪日を、心待ちにしています。美弥子さんがいなくなってしまって以来――彼女はいま萩中で暮していますが――、物足りない日々が続いていたのです。美弥子さんとは勿論ときどき連絡を取り合っていて、かよちゃん、という名前のお友達（ジョーンズさんは知らないことですが、それは美弥子さんが世界の外にでてしまったあの日、力こぶの絵文字入りのメイルをくれたお友達です。美弥子さんとは高校時代の同級生で、離婚経験者でした）にいろいろ相談にのってもらいながら（専門の弁護士さんも、美弥子さんはかよちゃんに紹介してもらいました）、浩さんとの離婚の話し合いを進めている、と聞いています。二度一緒に食事をしましたし、そのときには二度とも、食事以上に互いの身体を心ゆくまで味わいました。

「ビールもらいますね」

岡田さんがそう言ったのをしおに、ナタリーも筆を置きました。

「ああ腰が痛い」

畳をきしませて立ちあがり、満足そうに両手を腰にあて、自作を見下ろしています（そこには字というより絵といったほうがふさわしいような大らかさで、伊太利、という文字が躍っています）。

実際、あの坂の上の家から美弥子さんがいなくなってしまったことは、ジョーンズさんにとって淋しいことでした。いまでは彼女を遠慮なく腕に抱くことができるとはいえ、ふらりと寄ってお喋りをしたり、一緒にフィールドワークにでかけたりした、あの日々は二度と戻らないのです。

まあそれも、仕方のないことかもしれません。ジョーンズさんはにっこりし、岡田さんから受けとった缶ビールのプルトップをあけました。一人の女性が真理を発見するのに手を貸せたことは大いなる喜びですし、たぶんこれでよかったのだ、とジョーンズさんは思います。

それに——。

ジョーンズさんは畳に腰をおろして、つめたいビールをごくごくとのみました。

それに、奇妙で残念なことですが、美弥子さんはジョーンズさんの目に、もう小鳥のようには見えないのでした。

静かな午後です。うす暗い部屋には墨汁の、奥床しい匂いが流れています。

初出　「週刊現代」二〇〇九年六月十三日号～十一月七日号

江國香織
（えくに・かおり）

一九六四年東京生まれ。一九八七年『草之丞の話』で毎日新聞社主催「小さな童話」大賞を受賞。二〇〇二年『泳ぐのに、安全でも適切でもありません』で山本周五郎賞、二〇〇四年『号泣する準備はできていた』で直木賞を受賞。「409ラドクリフ」（一九八九年フェミナ賞）、『こうばしい日々』（一九九一年産経児童出版文化賞、一九九二年坪田譲治文学賞）、『きらきらひかる』（一九九二年紫式部文学賞）、『ぼくの小鳥ちゃん』（一九九九年路傍の石文学賞）、『がらくた』（二〇〇七年島清恋愛文学賞）、『つめたいよるに』『流しのしたの骨』『神様のボート』『東京タワー』『ウエハースの椅子』『間宮兄弟』『スイートリトルライズ』『赤い長靴』『左岸』など作品多数。小説のほか童話、詩、エッセイ、翻訳作品で幅広く活躍している。

真昼《まひる》なのに昏《くら》い部屋《へや》

第1刷発行　2010年3月24日
第2刷発行　2010年4月20日

著者　江國《えくに》香織《かおり》
発行者　鈴木　哲
発行所　株式会社　講談社
〒112・8001
東京都文京区音羽2・12・21
電話　出版部　03・5395・3505
　　　販売部　03・5395・3622
　　　業務部　03・5395・3615
印刷所　凸版印刷株式会社
製本所　黒柳製本株式会社

定価はカバーに表示してあります。
本書の無断複写（コピー）は著作権法上での例外を除き禁じられています。
落丁本・乱丁本は購入書店名を明記の上、小社業務部宛にお送りください。
送料小社負担にてお取り替えいたします。
なお、この本についてのお問い合わせは、
文芸局文芸図書第二出版部宛にお願いいたします。
©Kaori Ekuni 2010, Printed in Japan

ISBN978-4-06-216105-3 N.D.C.913 206p 20cm